THE CLASSICAL LANGUAGE OF ARCHITECTURE

建筑的古典语言

[英]约翰·萨莫森(John Summerson) 著

张欣玮 译

浙江人民美术出版社 | 艺术世界

Published by arrangement with Thames & Hudson Ltd,London,
The Classical Language of Architecture © 1963 Sir john Summerson and the British
Broadcasting Corporation
This edition © 1980 Thames & Hudson Ltd,London
This edition first published in China in 2018 by Zhejiang People's Fine Arts Publishing
House,Zhejiang Province
Chinese edition © 2018 Zhejiang People's Fine Arts Publishing House
On the cover : S. Serlio, *Il Libro Primo (-Quinto) d'Architettura*, 1554

合同登记号
图字：11-2016-282号

图书在版编目(CIP)数据

建筑的古典语言 ／（英）约翰·萨莫森著 ；张欣玮译.
—— 杭州 ：浙江人民美术出版社,2018.1
（艺术世界）
ISBN 978-7-5340-5773-1

Ⅰ.①建… Ⅱ.①约… ②张… Ⅲ.①古建筑-建筑
语言-西方国家 Ⅳ.①TU-091

中国版本图书馆CIP数据核字(2017)第070673号

建筑的古典语言

著　　者 [英]约翰·萨莫森
译　　者 张欣玮

策划编辑 李　芳
责任编辑 郭哲渊
责任校对 黄　静
责任印制 陈柏荣
出版发行 浙江人民美术出版社
制　　版 浙江新华图文制作有限公司
印　　刷 浙江海虹彩色印务有限公司
版　　次 2018年1月第1版·第1次印刷
开　　本 889mm×1270mm　1/32
印　　张 5.25
字　　数 155千字
书　　号 ISBN 978-7-5340-5773-1
定　　价 48.00元

目 录

中译本序

赖德霖

20世纪中国最杰出的建筑家梁思成曾称宋《营造法式》和清《工部工程做法》为中国建筑的"文法"，而斗拱、栏杆等结构和造型要素为中国建筑的"语汇"。他的这一表述对于多数学习过中国建筑史的读者来说并不陌生。追本溯源，梁思成对建筑的语言比拟受到了17世纪以来西方建筑学传统的影响。据科林斯［Peter Collins］的《现代建筑中变化着的理念，1750—1950》［*Changing Ideals in Modern Architecture，1750—1950*］，由于语言与建筑一样具有构成要素、结构规则和功能，所以早在17世纪，欧洲的理论家们就开始将建筑类比语言，其中包括巴黎美术学院的著名建筑家勃夫杭［Germain Boffrand］（1667—1754）、小勃隆台［Jacques-Francois Blondel］（1705—1774），以及加特麦理-德-昆西［Antoine-Chrysostome Quatremere de Quincy］（1755—1849）。这种类比到19世纪已经非常普遍，仅仅从科林斯书中的介绍就可以发现，当时的建筑家已经认识到，建筑风格和语言一样，具有表意性、集体性、历史性、时代性，并与文明程度有很大关系。美国19世纪后期的著名建筑评论家舒勒［Montagomery Schuyler］（1843—1914）还认为，建筑和语言一样具有民族性。

进入20世纪，随着现代建筑的兴起，这一比拟在西方一时显得有些过时。特别是维特科夫尔[Rudolf Wittkower]的《人文主义时代的建筑原理》[Architectural Principles in the Age of Humanism]一书在1949年的出版更促使人们将对建筑历史问题的关注，从形式语言转向设计原理，从现象转向思想。但20世纪60年代后，意识到建筑"交流"的重要性，又有以语言为类比的建筑著作问世。其中如载维[Bruno Zevi]（1918—2000）的《现代建筑语言》[*The Modern Language of Architecture*]（1973）和詹克斯[Charles Jencks]的《后现代建筑语言》[*The Language of Post-Modern Architecture*]（1977）。正如载维认可的，重启这一议题的人是英国著名建筑史家萨莫森[John Summerson]（1904—1992）爵士，他的《建筑的古典语言》[*The Classical Language of Architecture*]（1963）就是一个重要代表。

萨莫森18岁进入伦敦大学学院的巴雷特学院，师从阿尔伯特·理查德森[Albert Richardson]（1880—1964）。理查德森是一位学院派建筑家，1947年获皇家建筑金奖，1954年担任了皇家学院的院长，其作品深受英国18世纪后期和19世纪早期的晚期乔治风格和新古典风格影响。这两种风格都是西方古典建筑传统的延续。萨莫森因此也对古典建筑给予了极大的关注，先后研究了19世纪第二个十年英国"摄政王时期"伦敦的主要设计者纳什[John Nash]（1752—1835）、巴洛克时期英国最著名的建筑师雷恩[Christopher Wren]（1632—1723）以及著名的新古典主义建筑师索恩[John Soane]（1753—1837）。1941年他加入国家建筑记录会[National Buildings Record]，1945年又出任索恩博物馆[John Soane Museum]馆长，1958年获得勋位。

萨莫森著述颇丰，但以根据作者1963年英国广播公司（BBC）播出的系列讲座编辑而成的《建筑的古典语言》一书最为著名——该书在出版后的二十五年里，重印竟多达十四次。全书共六章。前两章关于"语汇"和"语法"，后四章关于这套语言的发展。

第一章《古典主义的基本要素》介绍了经由维特鲁威[Vitruvius]、阿尔贝蒂[Leon Battista Alberti]和赛利奥[Sebastiano Serlio]定义的五种"柱式"及其基本构件组合。当然，他还介绍了维特鲁威赋予几种柱式的拟人化"品性"。

第二章《古典时代的建筑语法》以罗马大斗兽场为例介绍了多种柱式的重叠组合关系、柱式与拱门比例的制约关系，以及柱子与墙壁的结合关系和柱距[Inter columniation]所体现的立面节奏感。

第三章《16世纪的建筑语言》包括两方面内容，一是布拉曼特[Donato Bramante]和帕拉蒂奥[Andrea Palladio]对古代的继承、发展以及对后世的影响；另一个是赛利奥[Sebastiano Serlio]、朱利奥·罗马诺[Giulio Romano]、米开朗基罗[Michelangelo]等人对古典"语汇"和"语法"的变形与突破，即后世史家所称的"手法主义"。

第四章《巴洛克风格的建筑修辞》介绍了从"手法主义"发展而来的"巴洛克"风格———一种"建筑修辞"。其中有米开朗基罗对巨柱的使用、维尼奥拉[Giacomo Barozzi da Vignola]用光与影设计立面，以及贝尔尼尼[Gian Lorenzo Bernini]、博罗米尼[Francesco Borromini]的建筑所表现的动感。他还试图以圣彼得广场、卢浮宫、布兰希姆宫为例说明巴洛克与"手法主义"的区别。他称"巴洛克"为"有说服力的"修辞，即"有力地、戏剧性地运用了建筑的古典语言"。

第五章《理性与考古学之光》介绍了17世纪以后意大利之外的建筑家们对古典建筑语言的研究。这一方面是法国理性主义学者对古典语言合理性，即"为什么"这一问题的论证，另一方面是英国学者通过实地考察对"无污染的源头"——希腊——建筑的考古学研究。前者的代表人物是提出了希腊神庙的"原始草屋"起源的洛吉埃长老[The abbé Marc-Antoine Laugier]，其理性原型的影响见于苏夫洛[Jacques-Germain Soufflot]设计的巴黎先贤祠；后者的代表人物是斯图亚特

[James Stuart]和瑞威特[Nicholas Revett]，他们的影响则见于英国的希腊复兴建筑运动。这一章还插写了18世纪意大利建筑家皮拉内西[Giovanni Battista Piranesi]对浪漫主义建筑的影响。而这章最后介绍的就是索恩的探索：即他对柱式的抽象化，它代表了建筑的新自由，但也标志着希腊复兴的终结，乃至建筑语言的历史结束。

在第六章《古典进入现代》中，作者试图回答20世纪建筑革命之后，当形式问题让位于技术和工业化问题之后，建筑所遇到的一个问题：建筑的"语言"在哪里？为此他简要地回顾了现代建筑的历史，其中包括勒杜[Claude-Nicolas Ledoux]和欣克尔[Karl Friedrich Schinkel]建筑在形体上的几何关系，维奥莱-勒迪克[Eugène Emmanuel Viollet-le-Duc]通过研究哥特建筑所提出的结构理性思想。不过他最重视的还是贝伦斯[Peter Behrens]设计的柏林通用电器公司汽轮机车间"山花"和钢柱柱廊所体现的古典意味，以及佩雷[Auguste Perret]现代风格的海军工程兵站对"柱式"的再现。他提到格罗皮乌斯"没有失去古典柱式和对称的感觉"，但更欣赏柯布西埃，说他是"最有古典思想的人之一"——一方面他摆脱了贝伦斯和佩雷依然恪守的古典框架，另一方面他通过建构"设计基本尺度"[Modulor]，在工业标准化的前提下实现了古典建筑所追求的"各部分的和谐"。

在书中作者没有介绍与建筑相关的社会历史背景，但他从形式演变的角度，以简洁的篇幅和浅显的文字勾勒了西方古典建筑从古希腊和罗马时期到早期现代时期不断丰富和发展的过程。所以本书对于希望迅速了解这一体系建筑专业本质的读者来说无疑是一个理想读本。

我在1980年进入清华大学建筑系后就接触到西方古典建筑的历史。1988年开始攻读博士学位，又因为研究中国近代建筑的需要，对那些影响过中国建筑现代转型的各个外国建筑流派都曾留心学习，自认对于古典建筑原理并不陌生。但最初读到这本萨著，它仍带给我一种前所未有的豁然开朗之感。这种感觉一是来自作者对古典语言的明晰定义，它使读者可以清楚地辨别哪些元素是后世的改造或发展；二是来自作者对于建筑形式语言学式的解读方法。例如他在第一章谈到建筑师选择不同的柱式来表现一座建筑的特殊功能或性格；在第三章比较了雷恩设计的伦敦圣保罗教堂穹隆对布拉曼特设计的罗马坦比哀多穹隆的继承和改变以及由此造成的节奏变化；在第四章比较了罗马耶稣会教堂与圣苏珊娜教堂以及巴黎格雷斯教堂之间细微的差别及其视觉效果……这种视觉分析的方法在美术史教育中或许早已司空见惯，但对于毕业于工科学校且当时仍在工科学校里研究建筑的我来说则完全是一种新的视角。所以对于这本书，我曾深感"相见恨晚"。

这时是1995年，我正作为纽约亚洲文化协会的访问学者在美国研修。可以说，这次经历使我本人在建筑研究上开始重视形式分析。我在1996年夏天回国后的一年时间里所写的一系列文章，就是在这方面进行的一些尝试。如我注意到吕彦直设计广州中山纪念堂对希腊十字平面的运用，杨廷宝设计的北京交通银行和龚德顺设计的北京建筑工程部办公楼对古典柱式的借鉴，张镈设计的北京友谊宾馆立面的五段式构图与卢浮宫东立面的相似，以及他设计的北京民族宫和赵冬日设计的全国政协礼堂对西方建筑语汇的中式转译。

我在回国时特地买了这本书敬呈正在指导学生研究西方古典建筑在华影响的关肇邺教授。——不过我现在猜想当时先生或许会心生"辽东豕"之笑，因为我事后才知道，两年之前，杭州中国美术学院出版社就已经出版了该书的中译本。这本书我曾十分渴望一睹之快，但却始终缘悭一面。而1997年夏天之后，我因受美术史方法的吸引，又再度赴美国攻读美术史博士学位，从此便直面英文原典。直到今年春天，浙江人民美术出版社决定推出中文新版，译者邀我为之作序，我才有机会展读这本心仪已久的译著。

译者是张欣玮女士。我们通过朋友介绍得以相识。我在她的《译后记》里惊讶地发现，早在1988年4月她就已经完成了全书的翻译，当时她在浙江省文物局考古研究所任职，并正要成为一名年轻的母亲。她并非建筑专业出身，所以原著虽然不厚，但翻译过程却并不轻松。她不仅要参考《简明大不列颠百科全书》《世界人名译名手册》《日英汉建筑工程词汇》等工具书，还需要请教多位前辈和师友。她的译文精准流畅，并尽量保持了萨莫森讲演的口语风格。我在击节赞叹译本质量的同时，内心又再生"相见恨晚"之感——当年在学建筑史，却不知美术界已经出版的这本西方建筑史名著的中译本，更未能早日将它介绍给建筑圈内更多的同行师友，这些都令我赧然惭愧。

所幸自己还能证明近年读书尚有进境，因为今天重读萨著，我不仅可以回味当年初读时的喜悦，还能发现其若干至少对我个人来说的未尽人意之处。例如，穹隆是古罗马人的一个重要发明，但萨著并没有把它作为一个古典建筑语汇特别介绍，并讨论它对后世文艺复兴、巴洛克、古典复兴，乃至新古典建筑构图的挑战和影响；作为"建筑语法"的另一重要内容，比例问题在文艺复兴时期如阿尔贝蒂和帕拉蒂奥等大师的眼里，以及古典主义时期和学院派的教育中都曾是建筑设计的重要考量，但在萨著中也付之阙如。我尤其关注书中提到的伦敦特许会计师协会（图64）。它是英国19世纪末和20世纪初流行的"爱德华巴洛克"[Edwardian Baroque]风格的代表作，这种风格集各时期古典语汇之大成，力图展现维多利亚时期英国的兴盛与强大，在东亚影响甚广。但萨莫森对它却语带不屑，讥之为"一种用惯常的手法主义和巴洛克材料配成的水果色拉，一种专门哗众取宠的手段，它十分适合19世纪末叶特有的精神文化的颓废气氛"。我还关心建筑语言的"表意"问题和由此衍生的跨文化"翻译"问题，它们在20世纪80年代以后伴随着环境行为学、符号学、现象学，以及后殖民主义史学的影响在建筑研究中得到重视，但相关讨论在萨氏20世纪60年代的这本书中或并未深入，或尚无涉及。

不过，我不应该苛求更多，因为萨著原本就是面向大众的演讲。毫无疑问，对于建筑学的发展来说，提高社会认知与深化专业研究同样重要。而对于渴望了解西方古典建筑传统的中国读者，我除了要感谢萨莫森爵士，更要感谢欣玮女士！

2016年7月于美国路易维尔大学美术系

前　言

　　本书根据1963年英国广播公司播出的系列讲座编辑而成，正文包括六次讲座的手稿，内容几乎未作更改，对此我并不感到歉意。因为对我而言，准备讲稿时所获得的愉悦与我在讲演该题目时所希望带给观众的愉悦，是不可分割的。而将广播用语改为书面语言，难免失去原有的韵味。不过也还是有一处我不得不做了变动，在讲演时和本书的第一版中，有关古典语言的历史在进入现代运动中时显得有些模糊不清。近年来，对现代运动及其性质和原则的一些看法，乃至于对整个建筑发展趋势的看法，都发生了深刻的变化，因此在本书的最后一章增加了几段文字反映这些变化。

　　作为最初的系列讲座的补充，英国广播公司出版了一个插图本。所有插图在此全部采用，另外还新增了近六十幅，加强了本书内容的深度和多样性。

约翰·萨莫森

1979年9月于约翰·索恩爵士博物馆

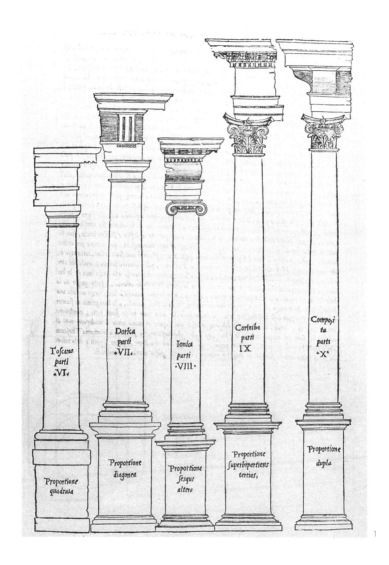

1. 建筑的五种柱式。1540年赛利奥从这幅木刻引出他关于《建筑的五种方式》一文。托斯卡纳、多立克、爱奥尼亚和科林斯柱式已由维特鲁威命名。阿尔贝蒂又命名了混合柱式。而赛利奥第一个把这五种柱式作为一个完整的体系呈现出来，此后就不再接受任何柱式的添加。

第一章 │ 古典主义的基本要素

　　首先我必须假定读者已具备了一些常识。比如知道圣保罗主教堂是一座古典建筑，而威斯敏斯特修道院不是。大英博物馆是一座古典建筑，而南肯星顿的自然历史博物馆不是。特拉法格广场周围的所有建筑——国立美术馆、圣马丁教堂、加拿大馆、甚至南非馆都是古典建筑，白厅所辖的公共建筑物也都是古典建筑，但议会大厦却不能归入此列。这只是对它们之间的一个简单区分，你们可能立刻会认为我在谈的只是表面现象。究竟什么时候的建筑可算作古典建筑？年代是不是真的那么重要？建筑的品质不是说与风格无关，而且比其他的一切更重要吗？事实的确如此，然而不从直观上将古典建筑与其他建筑区分开来，我便无法继续下文。我打算把建筑作为一种语言来考察。此刻我想要假定的只是当你看到建筑的拉丁文时，你必须能认出来。

　　建筑的拉丁文，这又引入了另一个一般知识的假定。古典建筑植根于古典文化时代，即植根于古希腊和罗马的世界，在古希腊的神庙建筑中，在罗马人的宗教建筑、军事建筑和市民建筑中。不过本书并不着眼于讨论希腊、罗马建筑，也不讨论建筑的古典语言如何生成和发展，而是考察这一古典语言的性质与运用——作为从古罗马继承下来，自文艺复兴到现代的五个世纪里几乎整个文明世界共同使用的建筑语言，它是如何被运用的。

　　这么一来，我们的目的就可以明确了。再让我们来看建筑中"古典"这个词，要想给古典主义下一个严格的定义，只能是自找麻烦。因为它在不同情境中有各种具体的含义，这里我建议只考虑其中的两种意义，它们将贯穿本书始终。第一种意义是最明显的。一座古典建筑是指这座建筑的装饰构件直接或间接地采用了古代世界（人们常称之为古典世界）的建筑语汇，这些构件是极易识别的，如以标准手法制作的五种柱式，以标准手法处理的门窗及山墙端部，还有用于所有这一切构件上的标准类型的线脚。

我觉得通过这些方面能够切实地描述出什么是古典建筑，但还仅仅是表面的，它让你认出穿在某类建筑物外面的"制服"，而我们恰巧把这类建筑称为古典建筑，可对于建筑中古典主义的本质却毫无触及。所以我们必须得更加谨慎。"本质"［essences］是难以捉摸的，在探究中经常可以感觉到，可它并不实在。尽管如此，在古典建筑史上还是有一系列关于建筑基本要素［essentials］的陈述，它们在相当长的时间内受到一致公认。以至我们在某种程度上可以说，古典建筑的目的是要达到并展现出各部分之间的和谐。我们能够感到这种和谐存在于古典文化时代的建筑中，而且在很大程度上"内置于"主要的古典成分之中，特别是在下面随之要提到的五种"柱式"里。不过，和谐也被一批理论家作了抽象的思考，他们认为结构中类似音乐般的和谐是通过比例获得的，也就是说通过确保建筑物比例的简单算术函数，以及一座建筑物中各个部分之间的比例，或者是使用同一比例，抑或是直接与这些比例有关就可以获得。关于比例的高论已连篇累牍，我无意再度涉及。文艺复兴时关于比例的概念相当简单，使用比例的目的就是想建立一种贯穿整个结构的和谐。所建立的和谐通过明显地使用一种或数种柱式作主导构件，或者仅仅是通过单一比例的重复，而变得使人可以理解。了解了这些就足以使我们能继续深入下去了。

但什么是古典？这个颇为抽象的概念值得作为一个问题提出来。你们可能会问，是否可以将一座根本没有任何与古典建筑有关的装修的建筑物，仅凭比例的均衡就判定为"古典"建筑？我想回答肯定是"不行"。在描述这座建筑物时，你们只能说它的比例是古典的，说它是古典建筑则是概念的混淆和术语的滥用。沙特尔主教堂[Chartres Cathedral]的门廊在配置和比例上完全是古典的，但却是人人公认的哥特式建筑。人们能从哥特式系统中，引证大量与古典式极其相近的建筑实例。不过提醒一句，若认为哥特式与古典式彼此对立，那也是一个极大的错误。它们很不相同，但绝不是对立的，毫无联系的。只是由于受到19世纪浪漫主义思潮的影响，我们才将它们置于截然不同的心理阵营。那些说他们喜欢古典式胜于哥特式的人们，或者是喜欢哥特式而非古典式的人们，我猜想，通常是19世纪这一曲解的受害者。事实上，建筑的基本成分如同文艺复兴时期理论家所阐述的那样，自觉或不自觉地在世界上的许多建筑中得到表现。在我们"什么是古典"的概念里，必须把一些基本成分包括进去，而且我们还必须接受这样一种事实，即只有当古典建筑含有某种对古代"柱式"的暗示时才是可辨认的，无论这种暗示是如何的微不足道、如何的不周全。这种暗示可能不外乎某些凹槽或突出部分，诸如一个上楣的处理，甚至几个窗户的设置所提示的底座与柱子及柱子与柱上楣的比例。一些20世纪的建筑，如著名的佩雷[Auguste Perret]和他的追随者的部分作品（图116），在某种程度上是古典式的。他们虽然完全采用现代的材料，但是通过使用一些极其细微的、暗示着古典特征的手法来体现古典精神，在本书的最后一章我还将更多地讨论这些问题。在此之前我们必须理解柱式的问题，即这五种建筑柱式。对柱式大家或多或少都有所耳闻，但它们究竟是什么？为何是五种而不是四种、十六种或三百二十六种？

让我一步一步来解释。首先什么是柱式？你们可以看到一张非常清楚的多立克[Doric]柱式图（图126），整个柱式是神庙的一根柱子立于底座上，支撑着柱顶端的下楣、中楣、上楣，柱顶上的这三个部分合称柱上楣构。在图1至图4中你也能看到多立克柱式与它的四个伙伴排在一起，它是左起第二，它的左边是托斯卡纳[Tuscan]柱式，右边依次是爱奥尼亚[Ionic]柱式、科林斯柱式[Corinthian]和混合[Composite]柱式。柱式是神庙柱廊的"柱子和上部结构"的组合,不是非得要有底座,而且经常是没有底座,但它一定有柱上楣构[entablature](柱子只有支撑构件时才起作用),上楣代表屋檐。

其次,为什么有五种柱式?这要更难回答一些,需要追本溯源。最早描述柱式的人是维特鲁威[Vitruvius],他的名字在本书中多次出现,这里有必要对他作些介绍。他是奥古斯都统治时期一位有影响的建筑师,写有十卷论著,又称《建筑十书》[De Architectura],献给罗马皇帝。这是古代此类著作中唯一幸存下来的一部,因此受到极大的推崇。维特鲁威本人并不是一个伟大的天才,没有文学天赋,也确实如我们所知没有建筑天赋,但他的论著为我们汇集和保存了大量传统建筑法则,它们是公元1世纪的一个罗马建筑师的实践准则,并且带有各种例证和历史札记。

在维特鲁威的第三、四卷中,他描述了三种柱式:爱奥尼亚柱式、多立克柱式和科林斯柱式,对托斯卡纳柱式也作了一些记述。他告诉我们每一种柱式分别在世界的哪一个地方首创。他结合对神庙的描写告诉我们,哪一种柱式适合于哪一位神明或女神。他的描述简单,没有给出第五种柱式,也没有按我们现在的固定顺序(托斯卡纳、多立克、爱奥尼亚、科林斯)将它们排列出来,而且更重要的是他并没有把它们作为体现所有建筑精华的一整套规范化程式来提出,这事留给了文艺复兴时期的理论家们。

15世纪中叶,在维特鲁威之后的一千四百年,佛罗伦萨建筑师和人文主义者阿尔贝蒂[Leon Battista Alberti](1404—1472)一方面参阅了维特鲁威的著作,另一方面根据他自己对罗马遗迹的研究,描述了各种柱式。正是他通过观察研究增加了第五种柱式,即综合了科林斯柱式和爱奥尼亚柱式特征的混合柱式。不过阿尔贝蒂仍是相当客观的,在他的观点中仍有维特鲁威的影响。此后约一个世纪，又出现了赛利奥［Sebastiano Serlio］（1475—1552），他真正提出了现在意义上的五种柱式，开始了长期的、象征性的、几乎传说般统治一切的规范化历程。我不敢肯定赛利奥当时已完全意识到这一点，然而事实上他做到了这一步。

赛利奥生活于文艺复兴盛期，与米开朗基罗同时代，与拉斐尔也几乎是同代人，是建筑师、画家帕鲁齐［Baldassare Peruzzi］的合作伙伴。他继承了帕鲁齐的设计手法，建造了几座相当重要的建筑物，而他对建筑最伟大的贡献是编纂了第一部大型的、对全文加以图释的有关文艺复兴时期的建筑语法。此书以丛书形式出版，头两本刊于威尼斯，后几本在弗朗西斯一世的赞助下出版于法国。这些书成为文明世界的建筑经典，意大利人使用它们，法国人也几乎把一切都归功于赛利奥和他的著作，德国人和佛莱芒人［Flemings］在该书的基础上编写自己的著作，伊丽莎白时代的人抄袭他，雷恩爵士［Sir Christopher Wren］（1632—1723）在1663年建造牛津的希尔顿剧院［Sheldonian］时仍发现赛利奥的贡献是无法估量的。

赛利奥的书中关于柱式是由一幅木刻插图开始的（图1），这是首创，图中五种柱式一个挨一个，像杂乱陈放着的九柱戏中的木柱，按粗细排列，也是按由低到高的顺序，全部立在柱基之上。短而粗的托斯卡纳柱式在左，然后是相似而又稍高些的多立克柱式，优雅的爱奥尼亚柱式，高耸、精细的科林斯柱式，最后是较高又富丽的混合柱式。在附随图版的文字中，赛利奥作了说明。他说，就像古代戏剧家常常在剧本序幕中告诉观众将要演什么一样，他也在他的建筑论著中把这些内容放在阐述重要特征之前。在某种程度上，他使得柱式在建筑语法中范畴化了，几乎就像拉丁语语法中动词的四种变化形式。

赛利奥的这一做法极有影响，被他的后继者们一成不变地全盘接受下来。五种柱式作为一个"完整的体系"代代相传，未做任何改动。

几乎所有17、18世纪的建筑入门书都以同样的方式开始，依次排列全部五种柱式，包括整套柱子和柱上楣构。如瑞士的布洛姆[Bloem]、佛兰德斯的弗里斯[De Vries]、德国的迪特林[Dietterlin]、法国的弗瑞特[Fréart]和佩罗[Perrault]，以及英国的舒特[Shute]、吉布斯[Gibbs]和威廉·钱伯斯爵士[Sir William Chambers]。从1825年乔治·格威特[George Gwilt]版的钱伯斯著作到他的《建筑百科全书》，以及该书1891年的最迟一个版本，你会发现书中仍然阐明，"正确地认识和运用柱式是建筑艺术的基础"。当我还是伦敦大学学院的巴雷特学院的学生时，也理所当然地认为作为一个学生首先要能画出三种古典柱式的每一个细部。

关于这一切有两点需要重视。首先，虽然罗马人已明确承认多立克柱式、爱奥尼亚柱式和科林斯柱式各自的特征，知道了它们的历史渊源，但并不是他们把这些柱式保留下来并固定在我们现在所熟悉的那些

4

五种柱式的发展

继赛利奥之后的每一代都重新研究了柱式，并对各种变化仔细地加以考证，然后画出柱式的轮廓。**2**. 维尼奥拉的柱式，第一次刻在铜板上，发表于1563年。帕拉蒂奥接着在1570年加以评注，但没有给出图例。**3**. 然而1615年斯卡木兹的木刻带有更多的帕拉蒂奥的风格。**4**. 法国人佩罗查考了所有意大利的权威文献，于1676年拿出了他自己的柱式铜版图，系统地按比例绘制，由此可看出各部分的比例并易于记忆。

有限的范围内。其次要认识到自文艺复兴以来确定各种柱式，并使之得以留传的这一系列工作对整个建筑事业的重要性。柱式成了建筑风格的试金石，这一精巧得无以复加的建筑手法，在建筑艺术中包容了古代人类的全部智慧，实际上几乎成了自然本身的产物。这就是现代人的眼光常常被折服的原因。除非你们真正了解柱式，一眼就能认出维特鲁威说的托斯卡纳柱式，维斯帕先神庙[Temple of Vespasian]的科林斯柱式，萨图尔诺农神庙[Temple of Saturn]的爱奥尼亚柱式，或者赛利奥编造的罗马大斗兽场古怪的混合柱式，否则你不会欣赏一代代人勤勉不懈地、充满爱意地赋予它们的种种巧妙发挥和刻意变化。可是即使"一般水平"地了解柱式也是重要的，因为它并不仅仅在于在处理各种柱式的过程中体现古典建筑的特征——事实上古典特征更多地体现在这些柱式的使用方式上，不过这是另一章讨论的主题。

同时，我们要清楚各种柱式怎样变换不定，又怎样能恒定一义。赛利奥把柱式放在我们面前，以权威般的口气给各种柱式的每一部分规定了尺度，似乎是一劳永逸地给它们定下了外观和尺寸，可事实上赛利奥的柱式虽然在一定程度上反映了维特鲁威的柱式，但还是基于赛利奥自己对古代遗迹的研究之后得出的。因此，这些尺度通过他个人的选择，在相当大的程度上成了他个人的创造，要排除他个人的因素几乎是不可能的。维特鲁威对柱式描述的缺憾只能够从残存的古罗马遗迹本身得到补充。然而这些作为范本的柱式，在那些遗迹中仍有相当大的变化，因此任何一个人都可以概括出他所认为的每一种柱式最优秀的特征，提出他理想中标准的科林斯、爱奥尼亚或任何其他柱式。在整个古典建筑史上，对每一种柱式的最佳样式做出种种推测的工作，会在考古学家的敬畏之情和纯粹个人的创作冲动之间两头摇摆。在这两个极端之间，各种柱式被构造了出来，由一些伟大的理论家先后公之于众。当然，首先是赛利奥在1537年，然后是维尼奥拉[Vignola]在1562年（图2），帕拉蒂奥[Palladio]在1570年，斯卡木兹［Scamozzi］在1615年（图3），从而在全世界最终造成了柱式标准化的结果。不过在每一个世纪里都有那时的建筑师为自己成功地模仿了某个特有的古典范例而自豪的例子。例如1540年，让·比朗[Jean Bullant]在埃库昂［Écouen］——巴黎附近的宫殿，继承科林斯风格并使用了大量的如卡斯特和普鲁克斯神庙[Temple of Castor and Pollux]一样的装饰。1630年，伊尼戈·琼斯［Inigo Jones］在考文特花园广场［Covent Garden］根据维特鲁威的论著，重建了托斯卡纳式，那几乎就是一次考古实践（图45）。1793年，约翰·索恩爵士一成不变地照搬维斯太神庙[Temple of Vesta]在蒂沃利［Tivoli］建造了英格兰银行[Bank of England]。另一方面，又有大胆的革新者。费利伯特·德·勒姆[Philibert de l'Orme]为杜伊勒里宫［Tuileries Palace］发明了一种新的法国柱式（图5）。1594年，在迪特林的著作中又出现了在赛利奥基础上充满魔幻般的各种变化（图7）。而波若米尼[Borromini]的柱式则是一个一反常规的、极具表现力的再创造，完全是他自己的东西（图6）。因此想把建筑的五种柱式当作孩子们的积木，建筑师可以拿来就用，这简直是一个错误。最好是把柱式当作符合语法规则的表现手法，不过这规则还是给个人感觉的发挥留有余地，有时甚至能被富于想象的天才击破。

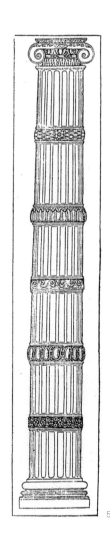

5

5．勒姆的"法国柱式"（1567）对由分段石块构成的柱子作出了逻辑性的表述。

现在在这个基础上我们再来看多立克柱式。我想柱上楣构有如此多奇特的大小构件，可能仍使你们感到不知所措。每一个细部都有名称，但是却没有明显的特殊装饰或象征意义。为什么叫上楣底托石，为什么叫三陇板和三陇板间饰，为什么叫束带饰，奇特的小流苏又叫圆锥饰，这些或许有人会问，而我只能就此作一个一般性的答复。多立克柱式从原始的木结构发展而来是确凿无疑的。维特鲁威也这样告诉我们。当你们看到制成石头的多立克柱，实际上是看到木构多立克柱的石雕，当然不是丝毫不变的再现，而是另一种雕刻的版本。古代最早的神庙是木构的，后来，这些神庙中一些特别神圣的、富有吸引力并能得到赞助的就逐渐改成了石建。人们认为用一种更为持久的石质建筑来保存这些神庙已变得迫在眉睫，因此柱上楣构上已有些风格化的木构件也由石头或

6

7

6. 波若米尼的科林斯柱头带倒卷的叶饰。7. 一个广场设计图中的爱奥尼亚柱式，摘自弗瑞特[Fréart]的书（1650）。

大理石代替，此后新地方的石神庙又仿制这些摹本，一直继续下去，直到成为固定的、为人们普遍接受的做法。由此，我们再来看一下柱上楣构，它在某种程度上是不言自明的。檐口底托石仿佛是伸出去支撑屋檐的悬臂的端部，雨水从屋檐滴下，可以不淌到柱子上，中楣上的三陇板可能是架在下楣上的大梁的端部，束带饰看上去好像是用于捆扎的构件，被中楣上的珠状饰固定在三陇板下，当然圆锥饰不是承梁木，而是固定在上面的木楔。我用"仿佛是"、"可能是"、"好像"这样的字眼，是因为所有这些都是我自己粗率的猜测。一些考古学家拥有极大的创造性，试图从最后定型了的多立克柱式出发，复原出最初的木构原型。他们的猜测远比我的有价值，但是他们也只是猜测，多半还将是猜测。现在一切对我们来说，就是随着时间的流逝，木构体系被石构建筑所摹仿、取代，最后凝练成为建筑语言上的准则。这个维特鲁威懂，我们也懂，比如说多立克柱式。这种柱式的定型化在语言中有极其相似的情况。词、短语和语法结构在必要的时候被创造出来以满足交流的特殊需要。那些即时的需要，时间一长就被人淡忘了，而词汇和句型则仍然存在于我们为各种目的而使用的语言中——包括诗中。这与五种柱式在建筑中的情形类似。

关于柱式还有一点，人们总认为它们应有人性，这种看法可能来自维特鲁威。他认为多立克柱式显示了人体的比例、力量和优美，是一个完美男性的范本，爱奥尼亚柱式表现了女性纤细的体征，科林斯柱式摹仿了少女轻巧的身姿，这点科林斯柱式看上去和爱奥尼亚柱式没有很大的不同。但是维特鲁威为柱式的人格化打开了门户，到文艺复兴时期更是登堂入室。然而各种说法经常相互矛盾，因此当斯卡木兹跟着维特鲁威形容科林斯柱式像"处女般"时，沃顿[Henry Wotton]几年后却认为它是"充满情欲的"，"装饰得像一个淫荡的妓女"，进而说科林斯柱式的精神是不道德的。可是不管怎么说，科林斯柱式总是被当作女性，而多立克柱式是男性，由于爱奥尼亚柱式居于两者之间，没有性别特征，可以是一位深思熟虑的学者，也可以是一位年长而有威望的已婚妇女。赛利奥的介绍可能最明确一致，他指出，多立克柱式应该用于敬献给男圣徒的那些教堂，如圣保罗、圣彼得、圣乔治，通常也可用于军事性建筑；爱奥尼亚柱式用于表现德高望重的女圣者，既不太严峻又不太柔弱，同样也可用于男智者；科林斯柱式给圣女，特别是圣母马利亚；对于混合柱式，赛利奥没有赋予其特性。他发现托斯卡纳柱式适于用在防御工事和监狱中。

　　当然无需这么严格地使用任何一种柱式，当你看着伦敦市长官邸［Mansion House］的科林斯柱时，你也用不着去想，下令使用这一柱式的伦敦市长是否认为它们是圣洁的或还有什么其他象征。事实上，柱式的采用绝大多数根据趣味和环境，并且更多时候是综合考虑的结果。用托斯卡纳或多立克柱式显然比雕琢华丽的科林斯柱式造价便宜。不可否认，有的地方用某一柱式有审慎的象征意义。例如雷恩在其切尔西皇家医院［Chelsea Hospital］的设计中，一定要用多立克式，因为它要体现跟死亡与疾病作斗争。考文特花园广场的托斯卡纳式和琼斯的例子都是有趣的事例。托斯卡纳和多立克是两种最基本的柱式，当建筑师们想表现粗犷和严峻或者多立克式所谓的英勇坚忍时，就往往设法使用它们。按柱式的排列顺序，另一头是混合柱式，有时由于建筑师想要拼命恭维或显示奢华、富有和不吝啬，也会采用混合柱式。

　　无论如何，关键的一点是，各种柱式提供了所有的建筑品性，从粗犷、严峻到纤细、美妙，在真正的古典设计中，柱式的选择是极其重要的，这关系到基调的选择。用这种柱式表现什么？各个部分到底采用一个怎样的比例？增添或剔除哪些装饰构件？这些都能改变和确定基调。

　　五种柱式——古典建筑语法中的五种基本成分就先谈到这儿，那么你们怎样看待这些柱式？建筑语法怎样起作用？

第二章 | 古典时代的建筑语法

　　在此之前，我们的注意力一直集中在五种柱式上，我理所当然地以为你们对此已十分熟悉，现在我们将进一步从柱式本身转向柱式的运用。请再看图1，这些柱式到底是什么？它们是立于底座上的柱子（底座可用可不用），以突出部分支撑着梁，进而支撑屋顶的檐口。你们能用它做点什么呢？如果你正在设计一座神庙，前后用有圆柱的门廊，两边用柱廊，那么就外表而论，这些柱子和它们的配件几乎就已足够了。再在神庙的四角，分别从前后两边相对的两角上竖起山墙，这就是座神庙了。假如你不是设计神庙，而是设计一个大而复杂的结构，像剧院、法院，一个有拱门、拱顶和许多门窗的几层楼，用什么方法呢？常识会暗示你抛弃那些与神庙相关的柱式，让一切重新开始，使你的拱门、拱顶和门窗找到适合它们自己的表现方式。不过这可能是现代的常识，过去并不那么认为，罗马人当初在他们的公共建筑物上采用拱门、拱顶时也不是这么想。在造穹隆顶的圆形剧场、长方形会堂和凯旋门时，他们不仅没有放弃柱式，反而用尽心思地把柱式加入建筑物，他们似乎觉得（他们或许也这样做了），除非采用柱式，否则没有一座建筑物能传达出想说的一切。对他们来说，柱式就是建筑。可能这首先是一个想在世俗建筑中继续保持宗教建筑威望的问题。不过我不清楚。无论如何，罗马人把这种高度风格化，但结构相当原始的建筑，与极精致的拱门多层建筑相结合，如此把建筑语言提高到了一个新的水平。他们发明了各种使用柱式的方法，柱式不仅能为各种新结构类型加强装饰效果，而且还能起到一种主导作用。这些柱式在罗马建筑中没有任何结构上的作用，但它们使建筑富有表现力，使它们传情达意，它们利用感觉和形式，常常极优美地把建筑引入观看者的思维之中。在视觉上柱式支配并控制它们所附属的建筑。

这又是如何做到的呢？这不单单是在赤裸的结构上贴上柱子、柱上楣构和山花就罢了，结构和建筑的表现力整个都必须一体化，这就意味着柱子必须有各种不同的表现手法。你们看，到处有柱子，环绕

8

神 庙

柱式是为神庙建筑而产生并发展的，可是神庙形式本身一直到18和19世纪才被摹仿，只有柱子与柱头装饰的魅力占据了文艺复兴时期的想象。唯有当人们开始以更广阔的历史观点来看待古迹时，神庙的形式才得以复苏，更经常地作为一种世俗权力的象征而不再只是宗教建筑。**8**. 现在罗马神庙保存最好的是尼姆[Nîmes]的科林斯式梅宋卡瑞神庙[Maison Carrée]（约130年）。**9**. 巴黎圣马德莱娜教堂[Madeleine]，最初作为教堂，后被拿破仑作为军功庙[Temple of Glory]，1842年又改为教堂。**10**. 在梅宋卡瑞神庙之后六个半世纪，杰弗逊[Thomas Jefferson]开始按爱奥尼亚神庙建造弗吉尼亚州州府（美国里士满）。**11**. 在伯明翰，汉瑟姆[Joseph Hansom]1832年以其勇敢地与古典相抗争的设计，在新市政大厅设计方案竞赛中获胜。

四周的柱子必须支撑构件，绝大多数承接自身的柱上楣构，也可能是一堵墙或只是柱子上端屋顶的檐口。不过你们还可以看到所谓的"独立柱"[detached columns]，这些柱子后面有堵墙，可它们并不贴着墙面，只是其柱上楣构牢固地造进墙里。还有3/4柱，即3/4柱在外，1/4埋在墙里。同样也有1/2柱，它的1/2露在墙外，最终还出现了"壁柱"[pilasters]，它是柱子雕刻在墙上，也像浅浮雕（假如你喜欢的话，也可把它们想象成造在墙内的方柱）。这样在一个结构中，你就有四种不同程度柱式的结合，如浮雕的四个层次、阴影的四种浓淡。古罗马人还没学会探索它的充分可能性，但他们为后人指出了方向。图释最能说明问题，请看图72、图73、图74、图75四座16至17世纪教堂的正面。罗马的耶稣会教堂[The Gesù]绝大多数是壁柱，圣苏珊娜教堂[S. Susanna]上面是壁柱，下面是1/2柱和3/4柱，巴黎的格雷斯教堂[Val de Grâce]前廊围有一圈柱廊，用1/2柱、3/4柱和壁柱。这三座建筑物以后还要进一步谈到。现在，我试图让你们注意这种做法，它和柱式结合，是在罗马人开了风气之先后多年以来形成的结果。同时当你们看着这几座教堂时，还要注意到另一点，就是每一次一个柱式改变它浮雕的深浅时，即从壁柱向前推出1/2，从1/2又向前推至3/4，柱上楣构也随之向前推出。在一个不变的檐部下，你无法移动柱子，这是法则之一。

我想你们由此可以理解我说的：柱子在古典语言中不只是结构的附属，而是与结构融为一体。它们时而隐身其中，时而又游身其外，成为一列自由竖立的门廊或柱廊，而且它们无时无刻不左右着结构。

再回到古罗马，先前我着重强调，所有重要的罗马建筑除了神庙以外都是以拱券与拱顶为本而设计的，柱式属于更早期的"横梁式结构"[trabeation]系统，也即是柱和楣的结构。结合两者，在某种意义上让古老形式的神庙柱子承托拱券结构，可以有一定的作用，但不令人满意，原因有二。第一，因为柱子和柱上楣构长久以来结合紧密，犹

多层的柱式

罗马人对神庙建筑的柱式加以处理，用来装饰他们的世俗纪念物，并统领这些建筑物的结构。当这些纪念建筑上升到几个楼层时，每一层就必须建造恰当的柱式。有力、朴实的多立克在最下层，然后是轻巧一些的爱奥尼亚，接着是精致的科林斯。顶层可能用混合柱。

12. 罗马大斗兽场（1世纪）是叠加柱式中最壮观的古代范例。

13

13. 15世纪中叶，阿尔贝蒂在佛罗伦萨的鲁采莱府邸[Palazzo Rucellai]重新采用了柱式层叠的想法。

如一体，若把它们分开就意味着残缺不全。第二，因为任何尺寸的拱门、拱顶建筑不仅要求柱子，而且要求厚实的户间壁承重，单是柱子太单薄了。那么罗马人是如何解决这些问题的呢？古罗马的大斗兽场[Colosseum]就回答了这一问题。图12展示了这座辉煌的建筑物被破坏得最少的一面。你们看它的三层长长的中空围廊，拱门叠着拱门，在顶上另加一个牢固的顶层。你们再看每一层拱门都设计在一个连续的柱廊里，这个柱廊没有结构功能，即使有也是极小的。它们只是雕刻在多层的拱门、拱顶系统的建筑物上面的浮雕，再现神庙式建筑，但它本身不是神庙。

　　如果这种把拱式和横梁式结合起来的方法——即把横梁系统简单地视为一种表现手法，对我们来说过于简单，那是因为我们对它太习惯

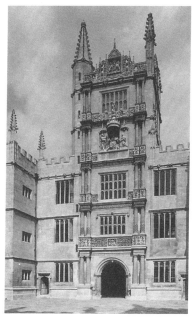 

了。它表面上简单，但当你们仔细考察后，就会发现不是那么回事。大斗兽场采用了四种柱式，底层是多立克柱式，第二层是爱奥尼亚柱式，科林斯柱式在最上面敞开的一层，平素的顶层是一个未定的柱式（这种柱式有时称为混合式，其实大斗兽场的式样是特例）。请注意其中使用爱奥尼亚柱式的那一层的一个开间，图16是这样一个开间的测绘图，这里你可以看到一个比较完整的语法结构。它受一个爱奥尼亚柱式支配，这个柱式纯粹遵守其自身的传统美学原则。另一方面，柱后的户间壁和

14. 在牛津，1613年设计各学院（Schools）的雅各宾派成员通过在一个都铎风格的入口处用上全部五种柱式，以展示他们对柱式的理解。**15**. 布罗斯[Salomon de Brosse]1616—1621年设计的圣热尔韦教堂[St Gervais]，在极其复杂的设计中采用了三种层叠的柱式。

拱门的形状及尺寸，又由于寻求便利和构造上的需要而产生。这两种原则必须和谐地交织在一起，我想我们也会认为它们的确如此。柱子底座的凹凸线脚与拱廊基石的高度保持一致。拱墩在柱子1/2强的高度和柱子相交，拱门便适中地坐落在两柱之间，下楣置于其上。如果这种处理令人满意，它是通过仔细均衡各部分的需要，既满足建筑的实用功能又

柱式和拱门

柱式从根本上说是一种横梁式（柱和梁）系统。如何将它与一种拱式系统连接起来是罗马人的一个难题。在使用一对柱子和一个柱上楣的同时，拱门必须在起拱处和拱顶上有一个明确的关系。**16**. 大斗兽场二层（爱奥尼亚式）的一个开间的正视图。**17**. 维尼奥拉在1563年阐释了同一主题。在这个丝丝入扣的变体中，任何一个尺寸的变化都会影响柱式的比例乃至影响整个设计。**18**. 布拉曼特对这一主题开拓性的尝试，1500—1504年建造的罗马和平圣玛利亚教堂[S. Maria della Pace]的回廊。

给予爱奥尼亚柱式在美学上的话语权来实现的。任何部分的细微更改都会损害全局。不信你们加宽开间至12英尺，会怎么样？拱顶可能就得上升至6英尺。假定你们想要保持拱和柱上楣构之间的现存空间，柱上楣则也要上升至6英尺，柱子也同样要加高6英尺，而爱奥尼亚柱式的原则是一个部分增大，柱式的其余各部分都必须增大。底座必须加高，这样它的线脚就不再会与门槛高度一致，更糟糕的是，已经升高6英尺的柱上楣，现在还要增高，从而破坏上层楼面的水平，更不用说上层的科林斯柱式了。

事实上，大斗兽场的这一开间比我所描述的更有"耐受力"，不过你们会逐渐明白古典语言和它的内在法则，这个法则能被不断地强化。请看图17，这是一个在原则及设计理论上由16世纪建筑师维尼奥拉[Vignola]（1507—1573）做出同样处理的建筑。显然维尼奥拉决心设计出一座各个部分彼此依托的建筑，拱门周围的任一构件都不能改，户间壁的宽度仅能容纳拱边饰和底座线脚的转折，整个结构紧得好像一个绳结。倘若这个设计绘在画板上，作为你选用的风格，并不能和你整个设计思想以及结构需要有机地结合起来，那你就得改用另一种方法，当然存在大量方法，只要你能想得出来。

大斗兽场开创了拱门和柱式相结合的形式，你们可以想象到它是文艺复兴时代的人从中受益最多的建筑物之一，它不仅是特殊联结方式的范本，而且在柱式的重叠以及壁柱的使用上，同样是杰出的范例。它的顶层通过壁柱的使用，富有表现力地处理了一个几乎没有窗户的平面。这一类还有其他建筑，比如罗马城外的马塞卢斯剧院[the Theatre of Marcellus]、维罗拉和伊斯特拉半岛波拉的剧院[the theatres at Verona and at Pola in Istria]，它们全都被仔细研究过，从中吸取了有用的语法成分，由赛利奥公之于众，一代人以后，又由帕拉蒂奥[Palladio]（1508—1580）重新推出。假如你们想要在文艺复兴时期的

19

20

凯旋门

罗马凯旋门作为一种类型，是文艺复兴时期用四个相同的柱子分割成不同的三个空间这种表现手法的主要来源之一。**19**. 君士坦丁凯旋门，现存规模最大，运用了"分立柱"加回转式柱上楣再加"顶层"的思想。**20**. 阿尔贝蒂早期设计的里米尼的马拉泰斯塔教堂[Tempio Malatestiano]，立面主要源于凯旋门的结构。

建筑佳作中寻找大斗兽场主题在其中的体现，在众多的实例中随便就能找出三例：如威尼斯考乃尔府邸[Palazzo Corner]（图37），它的重叠的柱子和拱门；曼图亚[Mantua]的公爵宫[Ducal Palace]，在那儿罗马诺[Giulio Romano]以浪漫主义的手法处理了同一主题（图49）；还有卡普拉罗拉[Caprarola]的法尔内塞别墅[the Castello Farnese]（图60），也用了有壁柱的大斗兽场顶层样式。那些建筑彼此确实很不相同，但都运用了符合语法的表现手段，大斗兽场是最突出的典型。

　　或许比剧院更有教益、更符合建筑语法的是罗马和意大利其他地方的凯旋门。赛利奥举出了十一座之多，这些纯粹纪念性的建筑大多玩弄建筑和雕刻的细节。罗马最大、最重要的凯旋门，从古至今一直都是塞维鲁斯凯旋门[the Arch of Septimius Severus]和君士坦丁凯旋门[the Arch of Con-stantine]（图19）。请看后者，它的构成是在巨大的长方形实体上开三个门洞，中间是主要拱门，另两个低矮窄小的是附属拱门，置于墩座上分隔拱门的是四根柱子，它们下有底座，向上一直伸展到柱上楣。每一个单独的柱子处，柱上楣突出在外，并在突出处设置了雕刻的立像。柱上楣构以上的上层结构称为"顶楼"[attic]。它作为人物雕像的背景，上面刻有浮雕和字母。

　　再看各部分之间关系的处理。中央拱门的拱顶石坚固地支撑着柱上楣的底部，两个边门拱顶石的支撑点与中央拱门的拱基位于同一直线上，三个拱门在高度与宽度上，采用同一比例，柱上楣的进深，即地面到柱上楣的空间，正可安置一个柱子及其底座；一个有趣、紧凑而协调的结构，令人赞叹地完成了它的象征作用。在15世纪，这个凯旋门和另

21. 曼图亚[Mantua]的圣安德利亚教堂[S. Andrea]。1472年，阿尔贝蒂在西立面采用了凯旋门主题，但用一个山花取代了顶层。22. 在同一教堂的内部，拱和壁柱式的柱墩可视作凯旋门的后继。

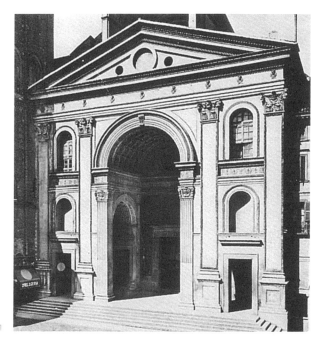

23

一些罗马的凯旋门，对画家和建筑师（当然通常是画家）产生了巨大的感染力。结果，我们一再发现起源于凯旋门的各种特征，以及各种特征的综合被用于完全不同的建筑，几乎遍及所有类型，再一次被作为支配整个结构的语法表现。

令人印象最深的例子是将凯旋门引入基督教堂，这是阿尔贝蒂的成就。他在里米尼[Rimini]设计众所周知的马拉泰斯塔教堂[Tempio Malatestiano]时（图20），教堂的正面就明显取法了城外的罗马凯旋门。然而这才是第一步。多年以后，在他一生的最后时期，他设计了曼图亚的圣安德利亚教堂[S. Andrea]（图21）。在这座建筑中，他不仅在正门采用了凯旋门主题，而且将其引入内部，作为中堂连拱廊的母本

（图22）。他甚至还以同样的风格设计了正门和柱廊，以至整个教堂内外似乎成了凯旋门概念的立体和逻辑的扩展。我有意不强调它的外观，因为我怀疑阿尔贝蒂对它某些特征的处理起了多少作用？因为在教堂竣工之前，他就故世了。不过主题思想已足够清楚，你们可以再次看到它在内部的呼应。尽管这里还必须提醒你们，要提防18世纪矫饰的墙面装饰，在照片中它们总是削弱所饰建筑本身的感染力。但是这是一个真正的凯旋门，一种对古罗马建筑语言的征服，一种不断的对它的逻辑结构的再创造。我不知道在后来的四个世纪里，有多少古典式教堂在这个范本的基础上被不断建造。曼图亚的圣安德利亚教堂是走向罗马圣彼得大教堂[St Peter's]和伦敦圣保罗大教堂[St Paul's]的第一大步。

　　关于各座凯旋门和它们对古典语言的贡献，我能谈的很多，而其中基本的事实即空间被柱群分成窄、宽、窄三个不等分的部分，可能是最重要的了。图50是罗马诺[Romano]为一个入口做的设计，显然摹仿了凯旋门，而且凯旋门的节奏——窄、宽、窄——在同一艺术家的另一些建筑物中也隐含着。时隔很久，人们又发现顶楼经常是造型中一个有用的成分，并且是雕像较好的衬景。萨默塞特宫[Somerset House]就是一例（图38），虽然坦白地说，我不认为顶楼在这个例子里很有助于设计。带雕像的顶层，处理得真正好的是牛津科克里尔[C.R.Cockerell]的阿什莫林博物馆[Ashmolean building]（图63）。

　　现在我们已经浏览了罗马建筑的两大类型，即以大斗兽场为例的带长廊的圆形竞技场和凯旋门，看到了它们被尊为古典语法之表现手法的源泉。虽然罗马建筑的形式还有很多，但我认为没有一处能如此圆满地与古典语言融会贯通，而成为古典语言的有机组成部分。当然公共浴室建筑（图24、25）的铺张排场和拱形厅堂以及许多套间，有时也给人以灵感。还有一切伟大的古典穹隆顶建筑的原型——独一无二的万神庙[Pantheon]（图27）；堪称对所有拱顶建筑形成挑战的巨大的君士坦

◀ 24

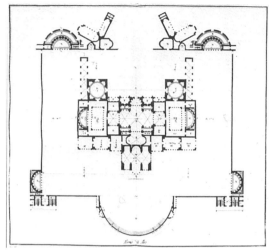

25

26

罗马公共浴室

遗留下来的罗马公共浴室极尽建材之精华。它们复杂的设计所体现出的各种空间的处理以及所拥有的拱形大厅成为蒸汽机车时代公共建筑的雏形。**24**. 罗马戴克里先浴场[Baths of Diocletian]的温水浴室，米开朗基罗把它改造为圣玛利亚教堂[Church of S. Maria degli Angeli]（1563）。**25**. 由伯灵顿勋爵收集的帕拉蒂奥修复的提图斯浴场平面图，发表于1730年。**26**. 纽约宾夕法尼亚火车站的中央大厅（1906—1910），1965年被拆除。由米基姆[McKim]、米德[Mead]和怀特[White]设计，模仿了卡拉卡拉浴场的中央大厅。

丁巴西利卡[Basilica of Constantine]，以及许多其他神庙。让人感到好奇的是，传统罗马神庙是一个长方形建筑，有一个开放的前廊和山花，周围带或不带柱子及壁柱（图8）（事实上我们认为这一切是罗马建筑最明显的特征），却从来没有被用作意大利教堂的范本，实际上在欧洲也是直到18世纪才开始被采用的。而另一方面，圆形神庙（图31）则扮演了重要角色，这可能主要是由于布拉曼特[Donato Bramante]所作的美妙绝伦的再创造（图32）。对此我将在后面进行描述。

不过文艺复兴时期的伟大成就并不是对罗马建筑惟妙惟肖地仿制（那留给了18和19世纪），而是将古典建筑语法作为一个人类的普遍原则来重建。这种语法从人类遥远的过去一直承继下来，运用于一切值得纪念的建筑。关于这种语法、这种准则，我谈的可能已经足以使你们相信它的真实性和简洁性。然而还有一点你们应该知道，比如简单的柱间距离，技术上称为"柱距"[intercolumniation]，柱距确立了一座建筑的节奏，一旦节奏确立就不能太紧凑，也不能太松散。在所确立的节奏以内允许有各种变化，但必须是十分具体的，有特定意义的。

罗马人对柱子的分隔十分重视，他们根据柱子的直径建立了五种标准形式，维特鲁威对此有过记录。他们称最密的分隔为密柱式[Pycnostyle]——有1.5倍柱径，接着是窄柱式[Systyle]、正柱式[Eustyle]、宽柱式[Diastyle]，最宽的是离柱式[Araeostyle]——有4倍柱径。窄柱式和正柱式最通用。窄柱式可比作一场急速的比赛，正

万神庙主题

万神庙是罗马神庙的一种独特形式，由于它特殊的结构形式而延续了较长的一个时期。它是一个穹顶圆柱体与突出的门前柱廊的结合，这在17世纪乃至更晚还能找到回声。**27**. 皮拉内西[Piranesi]1760年所作的铜版画万神庙。**28**. 贝尔尼尼[Bernini]在罗马附近的阿里西亚[Ariccia]的圣玛丽亚教堂[S. Maria dell'Assunta]所做的对这一主题的阐释。

27

28

29

柱式可比作轻松的绅士般的散步。而位于两个极端的柱距，既不是比赛也不是散步，密柱式对我来说总是意味着暂停——像竖起的栅栏引人注意，离柱式跨度确实非常大，几乎是一个缓慢的跃进。要是你们感兴趣的活，可以试着把音乐术语与柱距对应起来，我建议宽柱式用"柔板"，正柱式用"行板"，窄柱式用"快板"，不过我不愿对密

29. 温德米尔湖中贝尔岛[Belle Isle]上的一座小型万神庙风格的建筑，由普劳[John Plaw]设计。30. 位于夏洛茨维尔的弗吉尼亚大学校园内的图书馆主体建筑，由杰弗逊设计，建于1817—1826年。

柱式用"急板"，更不愿对离柱式用"慢板"。和任何的类比一样，这种类比若太牵强就是胡说。但是柱距（建筑中的节奏体系）的重要性却是巨大的，图32和图34形成明显的对比，这种对比很能说明问题。两座建筑总的形状相同，纪念目的也差不多，但它们所引起的情感反应是多么不同。布拉曼特的宽柱式（3倍柱径）庄严、宁静、沉思，霍克斯默尔[Hawksmoor]的密柱式（1.5倍柱径）紧张、可怕，像一个用于礼仪的栅栏。如果你带着"节奏"的问题去审视另一些实例，你无疑能明白柱距的重要性。你也能渐渐看到它所表述出来的种种变化——组合起来的柱子，分隔开来的柱子，按凯旋门窄、宽、窄节奏的柱子，以及当柱子、半柱、1/3柱放在一起时，你所得到的真正复杂的节奏。它们有时（像我们前面看到的教堂正面）也给基本的节奏留下一些值得推敲的问题。

我一直在谈论语法和规则，以致你们可能会对古典语言望而生畏，觉得难以把握，认为它们时时向建筑师提出挑战，打破他们的第六感觉。在选择中，只给他们一丁点儿自由的余地。倘若你们有了那样的印象，我完全不感到歉疚，因为这的确是一个方面。但是此外尚有建筑师自己对这些规则的把握。这种把握使他既严格遵守法则，又审慎地对法则提出挑战，使他几乎相信自己设计了这个曾经制约他、使他深感头痛的柱式。恐怕我最终还是要引用前代最伟大的古典建筑师勒琴斯爵士[Sir Edwin Lutyens]写的几段话，这样会描述得更清楚。勒琴斯受19世纪晚期生动的"旧英国"[Old English]传统的影响。他的早期作品都是这一风格。然而当他35岁时（1903年），勒琴斯开始洞察古典主义的本质，这使他最终成为当代的建筑大师之一。在辉煌的古典精神的支配下，他为一个富有的工厂主在伊尔克利[Ilkley]设计了一所住宅。在给他的朋友贝克[Herbert Baker]的一封信中，他记下了一些生动闪烁的思想火花：

> 古旧的多立克柱式——这个可爱的东西——我冒失地采用了它。你不能原封不动地照搬它，必须拿来重新设计……还不能依样画葫芦，你会发现，如果你想照抄，你就会面对大量的遗迹而无所适从。
>
> 这意味着在所有立体块面与每一连接处的每一条线上都需要艰苦的劳动，艰苦的思索，不能漏下一块石头。要是你从这些方面抓住了它，这个柱式就属于你；当你对每一细微处都心领神会，在头脑中完全把握住了每一点，就一定会变得富有诗意和艺术性，就像上帝赐予你的一样。当你改变一种特征（当你确定必须得那么做时），其余的每一特征都不得不进行一些修改和创造，以便与它保持一致，因此它既不是一场恶战，也不是一个轻

松愉快的游戏。

勒琴斯说："你不能原封不动地照搬。"可在另一封信中又说：

你不能随意创造柱式，必须消化吸收它们，凝练到唯有本质尚存。当使用正确时，它们完美无缺，就像植物的形状那样无法变更……柱式的完美比任何出于冲动和灵感产生的一切，都更接近自然。

这是一个真正懂得古典语言的建筑师，因为他学习柱式的语义，一生热爱并遵从柱式，同时也向柱式发起挑战。在对伟大的古典建筑所进行的再创造中，如果对法式的理解是一个基本要素，那么对法式的挑战就是另一个要素。

第三章 | 16 世纪的建筑语言

　　前面我已经提到了古典建筑手法的语法规范——它的结构：五种柱式的性质；柱子、3/4柱和1/2柱；壁柱；柱和拱门的连结；柱距和其他种种。现在我将通过对16世纪一些重要的革新人物的评议，来进一步谈论语法的运用，首先谈的就是布拉曼特。

　　我一上来就谈布拉曼特的原因，在于他超过了任何一位杰出建筑师，他在建筑中重建古代罗马建筑语法，具有重要的影响。我并没有忘记他的前辈们的业绩，比如阿尔贝蒂，我们在前面已经看到他取法古罗马凯旋门，创造出了古典教堂的完美典范。还有更早的布鲁内莱斯基[Brunelleschi]，在他所设计的佛罗伦萨诸教堂的中堂里，赋予科林斯柱式以新的生命。但正是布拉曼特真正确立了这一切，他最终肯定地陈述道："这就是古罗马语言——唯有这种语言才是运用柱式的方法。"他的权威得到公认。赛利奥写道，是布拉曼特复兴了已被埋没的古典建筑；在赛利奥的书中有关古罗马的这一部分里，在概括布拉曼特的部分作品时，他甚至给了布拉曼特更高的赞誉。对赛利奥而言，布拉曼特完全就是古典建筑的代名词。

　　在1499年来到罗马之前，布拉曼特在米兰宫廷，那里还有非凡的达·芬奇[Leonardo da Vinci]。达·芬奇对建筑的兴趣是哲学上的、概略的。他的兴趣在于建筑学，而不是要把它们按古代的正统形式建造出

四周列柱的圆形神庙，包括那些献给维斯太（罗马女灶神）的神庙，也属于罗马古迹中最动人的纪念物。**31.** 这座台伯河边的神庙通常称作维斯太神庙[Temple of Vesta]（更有可能是为帕图奴斯[Portumnus]所建），已失去了整个檐部，但它异常高耸的科林斯柱仍然体现了它形式的崇高。

31

来。布拉曼特的兴趣则两者兼而有之，更确切地说，是要把它们复原出来。你们仍然能在米兰一条繁华的街道附近，看到一座他的早期作品，奇怪的小型教堂圣玛利亚教堂［S. Maria presso S.Satiro］，它有带方柱、壁柱和拱门的中堂，而唱诗班的席位根本没有，仅仅用有极好透视效果的浅浮雕表现出来。

当布拉曼特来到罗马为教皇服务时，他已经五十五岁，之后仅活了十六年，但这是硕果累累的十六年。他设计重建了圣彼得教堂的一部

32

圆形神庙的后嗣

这个主题注定有许多变化形式。**32**. 最早的派生物是布拉曼特在蒙多里亚［Montorio］的圣彼得修道院的回廊内院里的坦比哀多［Tempietto］小礼拜堂，建于1502年。

分，还建造了梵蒂冈的两座大法庭。要是人们期望这本书是一部古典建筑的历史书，那我可能就要专门描写它们。好在照现在的需要，我只需拿布拉曼特的一座建筑出来，让大家看得更仔细一些。请看图32，坦比哀多[Tempietto]小礼拜堂，于1502年建在罗马蒙多里亚圣彼得修道院中的圣彼得殉道旧址上。这个建筑由布拉曼特按古罗马圆形神庙重建，或者可以说初看上去是如此。在进一步介绍之前，我先图示一座真正的古建筑（图31），人称维斯太神庙[Vesta]，建在台伯河[Tiber]边，它已失去了整个柱上楣构，那个相当漂亮的瓦顶只是权宜之计。但这种神庙就是布拉曼特的主题。他将科林斯柱式变为多立克柱式（可能多立克柱式适合勇士般的圣彼得）。他将神庙建在三层台阶上，在柱式下又加了一个带连续凹凸线脚的底座。这个底座（赛利奥在他的版图中粗心地漏掉了）给这座小建筑以突然、向上的一"举"，以强调它的神圣性。然后是多立克柱式，再后是栏杆。每一根多立克柱有一个相应的多立克壁柱在内殿的墙上，内殿升得比柱廊高，用半球形的穹顶覆盖（或更确切地说过去是覆盖着的，后来穹顶被悄悄地更换过）。这样还是一个罗马神庙一成不变的翻版吗？显然不是。它是借用罗马人的表现手法而加以进一步扩展。底座和中间的圆柱体垂直伸展，向上直穿到穹顶，这是布拉曼特的发明，它们已被无数次地模仿，从而证明是极其成功的。

坦比哀多是建筑散文的一个完美范例，它的陈述清脆如铃。通过赛利奥有些令人遗憾的、粗糙的雕版图及之后帕拉蒂奥更精确的记录，这座建筑变得举世闻名，几乎和万神庙或君士坦丁凯旋门一样被视为"古典"建筑。雷恩爵士通过帕拉蒂奥当然对此了如指掌。在设计圣保罗大教堂的一个局部时，他试图用两个布拉曼特式的神庙作为西面两个塔的顶层。就在此时，他仍然为棘手的大教堂耳堂上的各种穹顶和大鼓座方案的取舍而犹豫不决，最终他豁然明了坦比哀多较之其他方案更是解决这个问题的线索，尽管在体量和位置上有巨大的差

33

异。看到圣保罗大教堂的穹顶（图33），你立刻就会明白，它有多少
该归功于坦比哀多。但是你越看下去就越会觉得，圣保罗大教堂的穹
顶，并不仅仅是坦比哀多的引申，坦比哀多有十六根柱子，雷恩加了
一倍。雷恩知道一圈三十二根柱子，可能会缺少坚固性，于是他每隔
四根柱子就把它的柱间填实，成为大的户间壁，并在每一个户间壁上

33. 雷恩[Wren]在伦敦圣保罗大教堂[St Paul]（1696—1708）的拱顶运用了布拉曼特式
的表现手法，在巨大规模的主教堂之上，拱顶起主导作用。34. 霍克斯默尔[Hawksmoor]
在霍华德堡[Castle Howard]的陵墓（1729）也是派生的，但有一种完全不同的调子。35.
吉布斯[James Gibbs]在牛津拉德克里夫[Radcliffe]图书馆（1739—1740）以复杂的节
奏重新运用这一主题。

刻出壁龛，由此给他的柱廊以一个明确的四拍"节奏"。因此雷恩的穹顶不是布拉曼特的机械延伸，而是富有想象力的扩展——就像布拉曼特自己拓展了古典建筑一样。

在17和18世纪，坦比哀多主题——即柱廊围绕圆柱体的穹顶核心，一而再、再而三地不断被采用。霍克斯默尔在霍华德堡［Castle Howard］的陵墓（图34）中，为使其富于悲剧性，柱子排列紧密，森严得像个栅栏，穹顶缩小压低，并以一个幽暗的平台作为基础沿着底层平卧着。不过请再看吉布斯［James Gibbs］的牛津拉德克里夫图书馆［Radcliffe Library］（图35）。这是同一主题吗？是的。但是柱子重新成对组合，不等距间隔，立于一段墩座矮墙上，墩座墙以它那带山花的突出部强调这一组间隔，并处于一个圆顶之下，而圆顶的扶垛醒目地下降到另一组间隔。这一稀奇古怪的精心制作可能是为了取悦贡扎加或美第奇家族中的某一位，但是对于眼下这座建筑，运用这种手法就有点荒

34

35

唐了，因为它的主要功能是为了给一所英国大学的藏书和严肃的读者提供空间。

　　图36展示了布拉曼特创建的另一古典作品，罗马的一座宫殿，画家拉斐尔曾在那里住过一段时期，此后总是称为拉斐尔宫[Raphael]，现已不存。这个宫殿的主要房间在上层，下面是一系列拱门，照罗马惯例房间出租作商店，布拉曼特赋予下部以粗面效果，而仍严守罗马技术工程的特征。在其上层部分，他仅用一种柱式——多立克式，成对地立在基座上，基座和窗户的栏杆排成行，对我们来说看似一种初级处理手

墩座墙上的柱式

16世纪的革新是在宫殿前面将一种柱式立于一个带拱门和粗面装饰的低矮楼层之上。
36. 布拉曼特于1512年建造，现早已不存在的拉斐尔宫，从中可看出成对的多立克柱立于墩座墙的拱墩上。**37**. 在威尼斯，珊索维诺[Sansovino]建于1532年的考乃尔府邸[Palazzo Corner]重复了这一式样并加以变化，增加了一层。

段，而就坦比哀多来说，它是创新，罗马人没有这么做过。它是再一次为适应16世纪的生活而对罗马建筑所做的延伸，而且，这座新的古典建筑再一次在此后若干世纪引起反响，并一直延续到我们这一时代。珊索维诺[Sansovino]把它引入威尼斯（图37）和大运河[Grand Canal]。大运河上没有商店，故底层的三个中央拱门变成一个主入口，边拱被窗户

37

38

所代替。在威尼斯需要增加高度，珊索维诺把布拉曼特的上层加倍，有意隐约地呼应罗马大斗兽场。更晚一些年代的一座住宅、沿河滨马路的萨默塞特宫［Somerset House］（图38），很清楚是布拉曼特式建筑的后裔，建于1780年，而且站在那里可看到澳大利亚宫［Australia House］充作店铺的拱门和用闪亮的东西装饰得俗里俗气的傲慢的多立克柱——又是布拉曼特式的，它建于1911年英帝国主义时代。

　　布拉曼特引导意大利建筑到达了一个完全征服古代，并充满自信地加以进一步扩充和修正的阶段。就所有艺术而言，此阶段被称为文艺复兴盛期。追随并接受他的这一代人中包括拉斐尔，这位画家偶尔也是建筑师；帕鲁齐［Baldassare Peruzzi］；小桑迦洛［the younger

38. 威廉·钱伯斯爵士设计的伦敦萨默塞特宫（1780年）对布拉曼特的造型显然有些隐约的模仿，但可能丧失了一些生动感。

Antonio da Sangallo]；珊索维诺，我们已经看到是他把布拉曼特（附带地加上帕鲁齐）的观点带到威尼斯；还有桑米凯利[Sanmichele]把他们的思想带到维罗纳[Verona]，并在那儿加以发展。但这些人中没有一个我打算细述，要是这样做，多半就会有个问题得试图弄明白，他们有哪些要归功于布拉曼特，与他有何区别，又有哪些独特之处。所以相反地我要转到他们之后的下一代，谈帕拉蒂奥，因为我们把建筑作为一种语言来研究，从这个角度出发，更应把帕拉蒂奥排在布拉曼特之后，尽管布拉曼特死后三年，帕拉蒂奥才降生。从布拉曼特到帕拉蒂奥的过渡非常容易，原因是，帕拉蒂奥是个磨坊主的儿子，出身微贱，大半生都在意大利北部一个极偏僻的小镇维琴察[Vicenza]度过。他在当地的地主知识分子中成长起来，对他来说罗马确实是太遥远了。可以说，他们的文艺复兴盛期姗姗来迟。当帕拉蒂奥作为一个年轻人来到罗马，使他震惊的第一件事，就是看到那唯一一本已出版了的、太不完整的罗马废墟的测绘集——我们的老朋友赛利奥的那些成果，他的书那时还是相当新的。帕拉蒂奥无疑感到赛利奥仅仅捕捉到了这些值得研究的问题的表面现象，而忽略了许多有价值的东西，还没有真正把握住那些作为古典本质的轮廓和比例的精髓。因此帕拉蒂奥成了一个建筑学学者，他是那个时代最博学严谨的一个；不但如此，他比布拉曼特更好地掌握了罗马建筑语法。当机会降临时，他接连不停地迅速在维琴察内外，以后又在威尼斯兴建了大批建筑。在这些建筑中，罗马的语言比过去更雄辩、更细致。

我说的"更细致"，也意味着更精确。且让我来演示一下这种说法，首先上溯到曼图亚圣安德利亚教堂的内部[S. Andrea，Mantua]（图22），然后回到威尼斯救世主教堂[Il Redentore]（图40）的内部，两座教堂的建造几乎隔了一百年，第一座是阿尔贝蒂的，第二座是帕拉蒂奥的。你们看墙面每一开间的设计，即每一单元的户间壁和拱门

39

的重复，两者几乎一致。但是阿尔贝蒂仅用壁柱来表现，而帕拉蒂奥用了1/2柱。这就是我说的细致。在帕拉蒂奥的教堂里，你一定比在阿尔贝蒂那里更注意到柱式。在救世主教堂的东端，帕拉蒂奥的柱式环绕祭坛后部构成半圆形屏障时，变得更自由。看来似乎帕拉蒂奥的教堂的确是用巍峨的柱子支撑着沉重的柱上楣构，墙和拱门仿佛是仅仅填充在柱子之间。

下面请看帕拉蒂奥设计的在维琴察的基耶里卡蒂宫[Chiericati

帕拉蒂奥和帕拉蒂奥主义

帕拉蒂奥生于布拉曼特死后三年，他把古典程式带入古典学说和艺术创造的绝妙结合中。为西方世界所普遍接受的建筑语言，正是通过帕拉蒂奥的《建筑四书》[Quattro Libri dell' Architettura]（1570年）而被西方世界广泛接受。**39**. 维琴察的基耶里卡蒂宫[Palazzo Chiericati]，建于1551—1554年，它俯瞰着一个公共广场，既有维特鲁威风格又有当代风格。**40**. 在威尼斯，帕拉蒂奥的救世主教堂[Church of Il Redentore]用一种十分明了的科林斯柱式肯定了阿尔贝蒂在曼图亚圣安德利亚教堂中使用的科林斯柱式。

Palace〕（图39），这是一个重要的城镇建筑，它的底层给公众提供了开放的柱廊，二楼还有两个敞开的阳台，只有中央大客厅的墙面伸到街前。帕拉蒂奥再一次使他的柱式在建筑中起了主导作用。在几乎所有帕拉蒂奥的建筑中，你都能感到他深爱着柱式，在其杰作中，他自豪地展示它们。他在维琴察复兴罗马建筑语言比布拉曼特在罗马当地所作的复兴，要有更多的现实主义。

现实主义仅仅是帕拉蒂奥恢复罗马传统的一个方面，这会儿碰巧最适合于我的说明。当然，和我已经提到的另一方面是分不开的。帕拉蒂奥是个考古学家，虽然考古学家不是很确切的字眼，因为他对过去的探索有强烈的想象意味。他对过去的一些看法，我们也许会认为不恰当，但是，我还是用了"考古学"这个词。当帕拉蒂奥研究维特鲁威的原著或古罗马的废墟时，得出的结论立刻导致他去建造复原式建筑。这

40

41

42

43

些复原式的建筑当属他的书中——更确切地说是他的丛书中——最令人兴奋的内容之一：我指的是《建筑四书》[*Quattro Libri*]，1570年出版。这些复原式建筑的影响远远超出了意大利，事实上其成果比在意大利本国更丰富，它们的影响力在英格兰更是特别重大。例如琼斯[Inigo Jones]设计的考文特花园广场的圣保罗大教堂的柱廊（图45）也基于帕氏考古学。它遵循帕拉蒂奥对维特鲁威所说的托斯卡纳柱式的严格阐释（虽然带有些许细微的、经过深思熟虑后的改动）(图44）。那些精巧的、伸长的出檐，那些疏散的柱子就是帕式考古学。

琼斯之后一百年，伯灵顿勋爵[Lord Burlington]在约克建造议会厅[Assembly Rooms]时又采用了帕拉蒂奥的考古学。从图46、47可见他是多么忠实地采用了它们。但这一建筑在另一方面的意义，我以后再谈。

为了把布拉曼特与帕拉蒂奥的某些方面结合在一起来谈，我一直把自己限于16世纪简洁壮丽的意大利，以及建筑中的拉丁语言的重建：柱式傲慢地排列着，充满绝对的自信。我想，伴随着柱式在形式上的完成，表现出权威化、固定化，你很可能已产生了某种不舒服的感觉——虽然还没到厌烦的程度。当然，五种柱式可以成为非常讨厌的东西。如果你确实感到这样，那你不是唯一的一个；你和布拉曼特的后人中一些比较大胆而又带着罗曼蒂克个性的人一样。1515年布氏去世时这些人在罗马，1520年拉斐尔去世时他们仍在罗马。或许1527年当罗马被帝国军队抢劫和掠夺时也在那里。那时对文艺复兴盛期（按我们现在的称

41. 布拉曼特最大胆的语法结构之一是威尼斯圣乔治大教堂[S. Giorgio Maggiore]的正面。它将两个神庙的立面相互贯穿并结合起来。**42**. 维琴察的圆厅别墅[Villa Rotonda]建于1550—1551年。四面有神庙风格的有柱门廊，导向中央带圆顶的圆形大厅。从四面的门廊可眺望周围的乡村景色。**43**. 切斯威克[Chiswick]的伯灵顿勋爵别墅建于1725年，是英国借用圆厅别墅形式的几座建筑物之一。

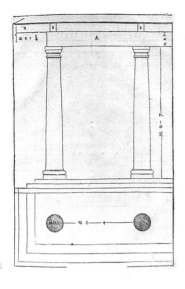

44

帕氏考古学

帕拉蒂奥重建的古典建筑，经常是想象多于科学，但结构总是合理的，跟他自己的设计一样具有很大的影响。**44**. 帕拉蒂奥在维特鲁威描述的基础上建立了原始托斯卡纳柱式的形制。**45**. 建于1631年的伦敦考文特花园广场 [Covent Garden] 上的圣保罗大教堂。琼斯 [Inigo Jones] 采用原始托斯卡纳柱式，作为将节俭与改革教堂的激进主义相结合的一种姿态。**46**. 帕拉蒂奥重建的维特鲁威描述的"埃及厅" [Egyptian Hall]。**47**. 1730年伯灵顿勋爵所设计的约克 [York] 的议会厅 [Assembly Rooms] 几乎是对帕拉蒂奥版本原原本本的摹仿。

45

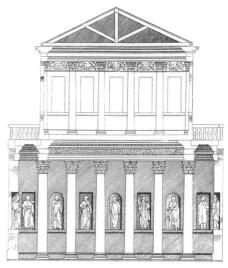

46

47

呼）所取得的成就很不以为然，甚至在拉斐尔后期的一些作品中，也有一些不满的迹象；而且在他的学生罗马诺的作品中，同样有断然的反叛和为自由英勇的进击。

但是我在谈论罗马诺之前还得先解释一下，一个从这时起在古典建筑中具有重要意义的词——粗面石工[rustication]。什么叫粗面石工呢？从字面上看，首先就让人想到它意味着一种草率粗糙地堆砌石块的方法，每一方石料都保留着一部分从采石场开采出来就具有的特性。然而这种粗糙的未加工被认为是一种特点——有艺术的可能性——最后它逐渐因加工变得矫揉造作，失去了自然。到赛利奥写他的第四本书时（1537年出版），粗面石工已经风格化、体系化（图51）。为了追求粗糙的效果，将石料切成几何块面，结果显得非常做作。不过赛利奥描述粗面石工，基本上是作为自然和人工的混合——他似乎暗示了一种工匠与自然力之间的斗争。当然这全是虚构的想法，在罗马诺的作品中，我

粗面石工

粗面石工是处理石造建筑的艺术。以此方法给建筑或者建筑物的几个部分以特殊的特征或强调。这个词传达出一种粗放的意味，使石块保留刚从采石场采来时的样子。不过有时在古迹中发现，最常见的粗面石工，其石块间接缝的契口却往往是光滑的。不管怎么样，一些文艺复兴时期的大师们更进一步运用了这种手法。**48**. 罗马诺在曼图亚的科提尔·德拉·卡伐勒里查[Cortile della Cavallerizza]，建于1538—1539年，石块奇形怪状，大小不一，用不同方式砍凿而成。多立克柱式被凿成一道一道的，并扭曲得几乎让人认不出来。

48

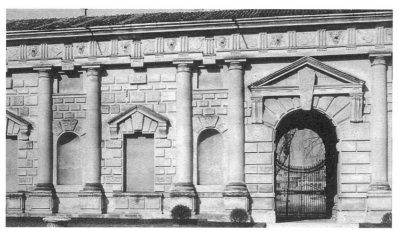

49

们可以找到实例。详见图49，泰宫[Palazzo del Tè]，这是曼图亚公爵的夏日行宫，一件非常奇特的作品，不过你能认出多立克柱式。主要的柱子大致是仿效凯旋门式样，但门窗上的山花并不是落于柱子上，而是落于墙面突起的托座上，而且拱门的拱顶石，粗暴地插进门上的山花，一切都有那么点不舒服、不对劲。你们是否注意到柱上楣有些石块滑落下来？是否注意到这些"滑落"的石块恰好都在中央每边相同的位置上？

这是怎么回事？显然它是在布拉曼特之上的一个飞跃。它是无理性的、印象派的。它使人想起废墟（尤其是有意滑落的石块），想起遗留下来未完成的古代建筑。但是它蕴藏着强大的张力，这在很大程度上是因为引人注目地使用了粗面石工。石块似乎总在与精细的建筑细节争执不下。两边窗龛里的粗糙的拱顶石，迫使窗檐伸入上部的石块里，两个圆拱壁龛里的拱顶石大得出奇，而中央拱门的拱顶石又小得异乎寻常。这儿那儿，这一小块那一小块，一点也没有粗面石工，墙面突然看上去窘迫地赤裸着。

这一切到底有多少严肃性？我敢断定这并不是有意的搞笑。它是

50

对法则的傲慢挑战。同时，它是一首与洞室[grottos]相关的诗，同时也与贡扎加宫廷里对巨人和侏儒的崇拜有关。现在对我们来说，所有的重要性在于它包含了许多真正的创造。罗马诺没有发明粗面石工（古罗马人早已用过；布鲁内莱斯基也使用过）；布拉曼特在拉斐尔宫同样使用过，但是罗马诺把它带到了前人未能梦想到的充满表现力的高度，他以后的无数建筑师从中获益，从泰宫到公爵府邸[Ducal Palace]，再到那座令人难忘的怪异的古典建筑，科提尔·德拉·卡伐勒里查[Cortile della Cavallerizza]（图48）。最后，在结束我们对罗马诺的回顾之前，

49. 在罗马诺的泰宫[Palazzo del Tè]中，粗面石工已经到了做作的程度，包括在檐部对称地处理"滑落"的石块。同时他为曼图亚的希塔泰拉门[Porta Citadella]所作的素描设计稿（图50），以粗面石工的调子充满活力地表现了凯旋门主题，约作于1533年。**51**. 赛利奥用一页的篇幅来讲述粗面石工，并将它与托斯卡纳柱式联系起来。**52**. 意大利境外的一个例子：格拉纳达[Granada]的查尔斯五世宫[Palace of Charles V]，建于1527—1568年。

请看他为一个城门所做的设计——一个完全依据这种夸张了的粗糙造型
而设计的凯旋门（图50）。

罗马诺的创造所带来的长期影响是巨大的，甚至帕拉蒂奥此后
在设计宫殿时也借用了它。从我以前对他的介绍来看，你们可能认为
他会反对这种夸张的表现手法。在18世纪的英格兰，伦敦新门监狱
[Newgate Prison]（图98）能有可怕的庄严，还得感谢罗马诺。此外，
当你穿过任何19、20世纪建造的商业中心，都能看到银行和保险公
司带有粗面装饰，许多都源于曼图亚。请看伦敦颇具代表性的郡议厅
[County Hall]（图99）的装饰。

在这章结束前，我必须向你们介绍一位比罗马诺更有革命性的人
物，他真正触犯了文艺复兴盛期的权威，把古典建筑带入了一个新阶

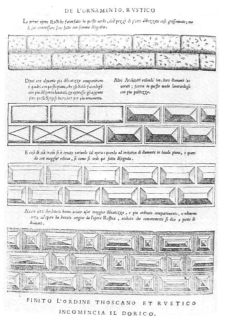

51

52

53

米开朗基罗

在布拉曼特和他的后继者恢复了古典语言
及其全部的语法逻辑之后，到了16世纪，
这个稳定的结构立刻被这个时代最有力的
想象所倾覆。米开朗基罗掌握了古人们的
建筑散文，以此创造出一种新的建筑诗，
一个雕刻家的诗篇。

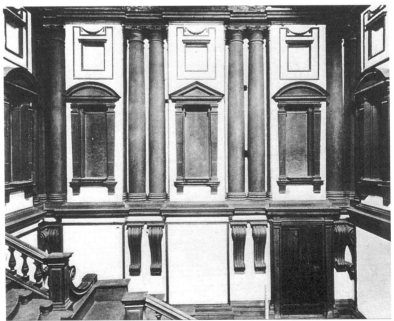

54

段。他就是米开朗基罗。

米开朗基罗比罗马诺大二十五岁，可是当罗马诺动工兴建泰宫时，米开朗基罗还根本没搞过建筑，他的主要作品几乎都是在罗马诺1546年去世之后才创作的。那时他已七十多岁了。他的建筑是一个远离罗马诺的世界。对于粗面石工，他几乎毫无兴趣，他的墙面光滑，而且他的力量凝聚在紧绷的表面、凹处和突起以及极少装饰的造型成分上。米开朗基罗总是坚持说他不是建筑师而是雕刻家，然而还没有一个职业建筑师曾经对建筑有过如此惊人的影响。瓦萨里[Vasari]评价说："他冲破了已被普遍使用而变得习俗化了的工作方法的束缚。"其实这种评述还是一种太过于低估的说法，对米开朗基罗的创造所带来的真正影响缺乏公正的评述，事实上这些创新给予人们巨大的鼓舞。

瓦萨里提到的"工作方法"，当然是自布拉曼特之后文艺复兴盛期的大师们使用的方法。也就是说，这种语法经过维特鲁威的研究而提出，并通过对罗马古迹的长期观察而丰富。上楣的轮廓、门窗的装饰都根据古代权威来设计，如果一个建筑师把自己的感受加进他的设计，那么他是不知不觉地受了圣灵的启示。而现在对整个权威的观点，米开朗基罗反其道而行之，他本身是个雕刻家，比古人更精通形式和材料，当他转到建筑上来时，这同一种穿透死亡的能力和用形式把握生机勃勃的事物的能力，使他带着绝对的自信超越了维特鲁威语法。正如瓦萨里相当朴实地说："他在比例、构图和法则的处理上，与另一些人所用的一般法则相当不同。"事实上的确如此。

53. 拉斐尔设计的佛罗伦萨潘道菲尼府邸[Palazzo Pandolfini]，这个窗户中的每一个构件都能用维特鲁威的术语来描述。**55**. 不过要对这个米开朗基罗设计的佛罗伦萨美第奇礼拜堂（1521—1524）的壁龛进行描述，则超出了维特鲁威的语汇；它的情感强度难以从技术层面去描述。**54**. 在建于1525—1534年的佛罗伦萨劳伦齐阿纳图书馆[Laurentian Library]由米开朗基罗设计的门厅里，柱子反常规地退入墙里，而墙的凹进则反常地用盲窗强调。

56

请看图53和55，这是两位伟大的古典大师的建筑结构或"壁龛"。一个是拉斐尔所作，佛罗伦萨潘道菲尼府邸[Palazzo Pandolfini]中的一件美丽、雅致的古典散文作品，它虽然完美，但不是很感人，几乎每一根线条都能明白地用维特鲁威的术语来描述。另一件是米开朗基

56. 罗马的比亚门[Porta Pia]是米开朗基罗1562年设计的，当时他89岁。它就像印象主义般的涂鸦，充斥着各种多变的想法，突然凝固了下来。例如交替变化的山花（一种打破，一种没打破）与有变化的填入物———一个匾额和一个花饰。

57

57. 这就是米开朗基罗声望的魔力, 这个奇特创造物的每一个细节几乎都能够在欧洲建筑的某些部分中找到回响。在伦敦的阿伦德尔府邸[Arundel House]（建于1618年）, 琼斯在另一座正统的入口上结合了山花里套山花的想法。

罗所作, 是圣洛伦佐教堂[S. Lorenzo]的美第奇礼拜堂[Medici Chapel]里的一个壁龛, 却几乎无法用言语描述。它有拉斐尔作品中的一些成分, 壁柱、山花、下楣, 可是所有的都经过了再创造, 充满了维特鲁威派批评家可能称之为粗劣和荒谬的错误。壁柱是多立克式还是别的什么柱子? 那些中断的弧形山花曲线又是什么意思? 根据哪个规则或先例, 把下楣的装饰线条圆滑地上升到拱与楣间部分, 使它的两个尖肘靠在上楣上? 不对。这件作品几乎是件抽象雕刻。它是与维特鲁威语言对等的米开朗基罗语言。观看者也许会觉得它怪, 甚至最初让人难以接受, 然而它驻留在人们的记忆中, 人们被它奇妙的创造深深打动。没有一位建筑师或者说没有一位年轻而敏感的建筑师, 在参观了米开朗基罗建造的美第奇礼拜堂后, 还会用同样的眼光看待建筑。

第四章 | 巴洛克风格的建筑修辞

　　为什么美第奇礼拜堂会有如此强烈的影响呢？这个问题我回答不了。因而只能提供两幅插图让它们自己说话。我觉得为了感受米开朗基罗壁龛的不落俗套，有必要体会拉斐尔的循规蹈矩。在这里，米开朗基罗的拉丁建筑的变形，非常像他自己的许多雕刻作品中的人体变形；只有当我们觉得了解了人体时才容易把握它变形的意义，但我们却很少有人熟知建筑的拉丁语。不管怎样，我认为米开朗基罗对建筑形式的某些强化处理是不可避免的；但并不一定必须通过各种比较和类推来强调。

　　米开朗基罗的另一些建筑作品则丝毫没有这些表现了强烈原创力的细节——它们用另一种方式，让我们大吃一惊。请看图58，这是罗马卡皮托尔山[Capitoline Hill]的宫殿之一。这里米开朗基罗用了非常巨大又相当传统的科林斯式壁柱。但是有两个特殊之处：一是非常之大，壁柱有四十五英尺高，发展到圣彼得大教堂成了高达九十英尺的巨柱（图59）。二是这些壁柱贯通两层。罗马人从未有过此举，事实上卡皮托尔山的诸宫殿只是大致像罗马神庙，各边则充填了当代构件（上层的墙、窗户，下面敞开的底层）。请注意，上部墙面坐落在下层的柱上楣上，这个柱上楣由爱奥尼亚柱子支撑，每开间两根。这种处理，即由两种柱式一起来统率一座双层建筑的手法，是米开朗基罗最有价值、最有解放力的创造之一。

　　从卡皮托尔宫迈向巴洛克教堂的正立面轻而易举，水到渠成。后者大量使用了卡皮托尔主题，如圣安德利亚教堂[S. Andrea al Quirinale]（图76），但是这些教堂较卡皮托尔宫晚了一百多年。我在详谈巴洛克之前，得先设法让大家了解从1530年到1540年罗马诺和米开朗基罗的双重影响被首次接受，到巴洛克在一个世纪后大发展为止，其间的意大利建筑。

这里有个可以反映当时情况的名词"手法主义"[Mannerism]。手法主义很大程度上意味着当我们在谈一个人"做作时"所包含的意思——也就是说，想要摹仿一种类型而显得矫揉造作。手法主义不是一种风格，它是一个时代的情调，而当那种情调流行时，各种极不相同的事物还是照常出现。因为我们的目的，只是把建筑作为一种语言来考察，所以我们想知道的是手法主义在多大程度上润色了建筑语言，丰富了建筑语汇。图60和图72是维尼奥拉的两座非常著名的建筑，一直被认为是手法主义时代杰出的纪念碑。先看卡普拉罗拉[Caprarola]的法尔内塞别墅[Castello Farnese]。我必须解释，在屋角的像棱堡一般的建筑

58

59

是由于基础打下后，墙体一部分由另一建筑师按另一计划建造的结果。撇开它们，我们在照片上所能看到的这座府邸的主体建筑，显然是对文

米开朗基罗和巨柱式

巨柱式是指柱子拔地而起或从底层直穿过两层或更多楼层的柱式。因此，一座多层建筑整体上可能采用一种大型神庙的尺度，不过每一楼层仍可有它自己的尺度，并通过一个尺度适当的第二柱式表现出来。如此，两种风格的柱式的结合是米开朗基罗的创新之一。**58**. 在罗马卡皮托尔山上的一对宫殿里，米开朗基罗的巨型科林斯柱式贯穿了两层，同时使用一个辅助的爱奥尼亚柱式加以丰富，并支撑中间一层。**59**. 罗马圣彼得大教堂的半圆形后堂的巨型科林斯壁柱有90英尺高。

60

艺复兴盛期手法的扩展——或许有些是布拉曼特的，而有些符合拉斐尔的构思——虽然有一个相当明显的差别，就是按罗马诺风格稍加粗面装饰的曲折台阶间的三拱敞廊。

手法主义

"手法主义"是讲究技巧的艺术，是求新求奇的艺术。**60**. 维尼奥拉设计，建于1559—1564年的卡普拉罗拉[Caprarola]法尔内塞别墅[Castello Farnese]在某些方面看来是文艺复兴盛期的产物，但是它的手法却是一个令人兴奋的新发展。**61**. 法尔内塞别墅的柱上楣，巧妙地融合了科林斯与多立克两种柱式，是维尼奥拉最有影响的创造之一，这是引自他的《规范》[Regola]的插图（1563年）。**62**. 科克里尔[C. R. Cockerell]的太阳保险公司大楼[Sun Assurance Building]，建于1841年，位于针线街[Threadneedle Street]，已毁。它自由地借用了法尔内塞别墅的上层。

　　再请看从维尼奥拉的书中选出的插图（图61）。这是卡普拉罗拉的一个主要的柱上楣构的细节，并不很像图1至图4里的任何一个柱上楣构，尽管它与赛利奥转述的挺难看的混合柱式有些共同之处，而且事实上后者就是它的线索。赛利奥的混合柱式源于大斗兽场用壁柱的顶层，与带有壁柱的卡普拉罗拉的顶层基于同一主题。不过维尼奥拉才华横溢地创造了另一种柱上楣构，同时在下面有比例地运用壁柱，其高大而雄浑使整座建筑气概无比。这是对严格的古典语法的背离——开始在造型上别出心裁，像设计图案一样，用光与影设计立面，这种建构比之于任何拘泥的陈述，更能表达出全部意义。

　　再看一个更彻底的手法主义立面，或许对这种处理会更清楚。请看第二座我提到过的维尼奥拉建筑——耶稣会教堂[Gesù]（图72），耶稣会士在罗马的主教堂。这是一座巨大的教堂（照片上看来总觉得太小），高大的正立面全部用科林斯壁柱装饰，有两层，如果你仔细看这座建筑，并用文艺复兴盛期的观点去分析，你立刻会陷入困境，因为那里没有明显重复的节奏，表面推前又令人费解地缩后，而且在底层，一个壁柱似乎有一部分塞进另一个壁柱的后面，很显然建筑师的意图是让人觉得整个是一件浓厚的建筑作品，像我前面所说的那样，在建筑中蕴

61

62

含着某种意义。

理解手法主义时代的这些成果非常重要，因为它们产生了久远的影响。例如早期维多利亚时代重新发现了手法主义建筑，尽管他们不这样称呼，而说成意大利式。他们认为重新发现的手法主义建筑极适于他们自己，似乎把他们从乏味的复古玄学中解脱出来，并有他们乐于称为"性格"的东西。在各地，例如曼彻斯特、利物浦和里茨，大多数黑色的大银行、大仓库的装修，在设计思想上，完全是"手法主义"的，现在对它感兴趣，对我们来说主要是因为，它们鲜明地反映了维多利亚时代人的想象。但偶尔也有当初手法主义建筑家们的艺术才华从中闪射出来，就像维多利亚时代一个具有世界水平的古典建筑师科克里尔[Charles Robert Cockerell]在他的作品中所表现的那样。请看图62这一小幅插图，它反映出科克里尔怎样为建造伦敦市的一个保险公司，而从

63

64 65

卡普拉罗拉吸取了大量他所需要的东西。附带请看图64，五十年后另一些人模仿科克里尔——那是一种用惯常的手法主义和巴洛克材料配成的水果拼盘，一种专门哗众取宠的手段，它十分适合十九世纪末叶那些评论家们精神文化的颓废气氛。有几年时间，特许会计师学会[Chartered Accountants Institute]被认为是伦敦最精彩的现代建筑。

科克里尔本人比这类事更值得注意，在英国，没有一座建筑像他

63. 科克里尔以相当不同的方式再一次采用维尼奥拉风格的檐部，用在牛津阿什莫林博物馆[Ashmolean Museum]中。在这座建筑上，手法主义的巧妙和希腊考古学精巧地结合在一起。**64**. 维多亚利时代后期的一位建筑师贝尔彻[John Belcher]，于1890年建成了特许会计师协会[Chartered Accountants Institute]，这里柱式的权威让位给奔放的雕刻和灵巧的细部处理。**65**. 勒琴斯爵士[Sir Edwin Lutyens]在伦敦鲍切[Poultry]的中陆银行[Midland Bank]中玩起了手法主义的游戏，那里的多立克壁柱消失于粗面石工中，它们的存在仅仅通过浮雕状的柱头和柱础表现出来。

的牛津阿什莫林博物馆（图63）那样，在处理手法主义主题上显露出真正的才智和创新。科克里尔用意大利手法主义大师们的眼光来审视，但比他们看得更远，还在建筑上运用了希腊式细部，作为一个考古学家，他是绝妙地丰富了维尼奥拉建筑语汇的大师。维尼奥拉的著名上楣——加以重新勾勒——你会立刻认出来。

接着的六幅插图（图66—图71），从另一角度贯穿起来反映了手法主义。由佛罗伦萨手法主义建筑师阿曼纳蒂[Ammanati]设计（他也是位雕刻家）的卢卡[Lucca]的宫殿是一件迷人的作品。它非常紧凑，各种造型用在一起，有凹面、凸面、凹面里的凸面，在一楼拱门的拱腰上还有一处不合常理——两个爱奥尼亚柱头饰雕刻得像挂起一样，或像建筑的一层薄片，一部分被切断以让位于拱门。这种正立面上的雕刻式手法，主要源于米开朗基罗，在米兰马里诺府邸[Palazzo Marino]的院子里再一次反映出来（可能更过分）。这是个小正方形院子，每边三个

68

拱门（图67），极少有到米兰的观光者特地去看它，尽管它正位于城市的中心。阿莱西[Galeazzo Alessi]这件作品的新奇之处，在于一楼的多立克柱式上有十分吸引人的柱上楣构，几乎一切都转变成了雕刻——建筑的表面充满人物雕刻、动物面具、珍宝、水果和花卉的垂花饰。上层的柱式用"胸像柱"[terms]代替，底座的底部窄，上部胸像的胸部加宽，在这些"胸像柱"之间是雕有人像的壁龛，在拱门之间是饰有浮雕的精心制作的镶板。所有这些都很剧场化，可能确实起源于剧场。现

手法主义的盛放

手法主义并不是一种"风格"，但它是一个时代的情调。在意大利，它的表现无限多样，而且其中的一些还传布于欧洲。**66**. 在卢卡，阿曼纳蒂设计的普若文夏拉府邸[Palazzo Provinciale]，建于1577年，他用巧妙的凹凸手法来玩弄视觉——凹板、凸板、凸板嵌在凹板里等。**67**. 阿莱西建于1558年的米兰马里诺府邸，装饰性雕刻几乎完全代替了柱式。**68**. 雷斯考[Pierre Lescot]设计的巴黎卢浮宫的四方天井[Square Court]，其法国古典主义带有强烈的手法主义色彩。

69

在这种建筑装饰迅速流传开来——至少迅速向北传播；更进一步用于有高度吸引力的雕刻饰板，就像你们在图70和图71中所看到的。它们分别由佛莱芒的德·弗里斯[Vredeman de Vries]和德国的迪特林[Wendel Dietterlin]设计，他们所表现的形式，反映出手法主义建筑的影响波及到了另一些地方，直至伊丽莎白时代的英格兰。事实上，沃莱顿议厅[Wollaton Hall]（图69）的装饰很大部分参照了德·弗里斯的设计，虽

69. 当手法主义传入英国时，它具体化为一种我们所称的"伊丽莎白式"，绝大多数源于佛兰芒[Flemish]的雕刻师们，史密斯逊[Robert Smythson]于1580—1588年在诺丁汉[Nottingham]建的沃莱顿议厅是一个著名范例。**70、71.** 这是两幅引自影响了北方艺术家的设计书的插图：弗里斯的科林斯柱式（安特卫普，1577年）和迪特林的"胸像柱"，（纽伦堡，1584—1598年）。

然迪特林错综复杂的设计很少被英国人摹仿，但他的著作广为人知，从而使伊丽莎白式和雅各宾式（17世纪初）装饰广为人知，在17、18世纪里被普遍称作"迪特林[ditterling]"装饰。

上面所谈的一切几乎要将我们带出目前所讨论的范围，我不想让大家花时间把沃莱顿议厅作为古典语言的一个重要作品来研究。它在其他许多方面可能是重要的，但在此并非如是，摹仿德·弗里斯不过是去模仿漂亮的纸上设计，仅仅等于肤浅地欣赏书中所谈的这种古典设计。

让我们回到问题的中心，另两个正立面明显起源于耶稣会教堂（图72）。如果比较一下罗马的圣苏珊娜教堂（图73）和耶稣会教堂，你们立刻就会看到两点：首先是更紧凑，呈一种肯定地垂直的矩形，耶稣会教堂立面上两侧的外扩涡卷，在圣苏珊娜教堂上明显收缩，以加强垂直的感觉。第二，你们会感到耶稣会教堂立面上，各种壁柱的处理都是散乱的。而圣苏珊娜教堂的柱子和壁柱的设置，则清楚明白地将你们的注意力引向中心，确切地说是中央大门。现在这种对比经常在做，而

70
71

72

73

74

75

且这种比较跟解释手法主义与巴洛克建筑之间的不同一样容易——圣苏珊娜教堂是巴洛克建筑。不过对这些术语要说明得更仔细些的话，请看第三座教堂——格雷斯教堂[Val de Grâce]（图75），在圣苏珊娜教堂之后五十年建于巴黎。是手法主义，还是巴洛克式？它不像耶稣会教堂那样散乱和模糊；但也不像圣苏珊娜教堂显得力量和果断，没有介乎两者之间的东西，它有自己的特征。轻松和谐而且一楼柱式从壁柱到圆雕

教堂立面上的柱式

16世纪，一种角上带涡卷的两层楼立面上的柱式处理，成为整个欧洲天主教堂立面的典型格局，在这个模式的基础上出现了无穷的变化。**72.** 维尼奥拉的罗马耶稣会教堂立面，具有精巧复杂的节奏，是伟大的手法主义作品的范例。**73.** 在玛丹纳[Carlo Maderna]设计的罗马圣苏珊娜教堂（1597年）上，耶稣会教堂主题被表述得更完善，具有明确的垂直感，是巴洛克的前兆。**74.** 当隆吉[Martino Longhi]在1646年设计罗马圣维桑和圣阿纳斯塔斯教堂[SS. Vincenzo ed Anastasio]时，巴洛克式修辞给意大利教堂设计指出了一个全新的方向。**75.** 同时在法国，古典的均衡仍然保留在常见元素在各处的运用中，巴黎格雷斯教堂由芒萨尔[François Mansart]于1645年主持兴建，后由勒默西埃[Lemercier]完成。

76

贝尔尼尼和波若米尼这两位巴洛克时代的大师用文艺复兴时期的人们完全意想不到的方法
改变了古典语言，但是一些类似的语汇也能在一些罗马晚期的建筑中找到。

贝尔尼尼和波若米尼

76. 贝尔尼尼设计的罗马的圣安德利亚教堂〔S. Andrea al Quirinale〕的正立面建于1658—1670年，它由米开朗基罗的思想发展而来，像卡皮托尔宫殿的一个开间，爱奥尼亚柱式处理得带有动感，环成椭圆形，突出于巨形科林斯壁柱之外，构成门廊。**77**. 建于1665—1667年的波若米尼设计的罗马圣卡罗教堂〔S. Carlo alle Quattro Fontane〕立面，有两种柱式相叠，每一种按卡皮托尔宫殿的原则带一个附属柱式，但都在一个曲面上。**78**. 这一教堂的室内是按复杂几何图样的许多点构成的曲线体系建起来的。

77

78

圣彼得广场

79

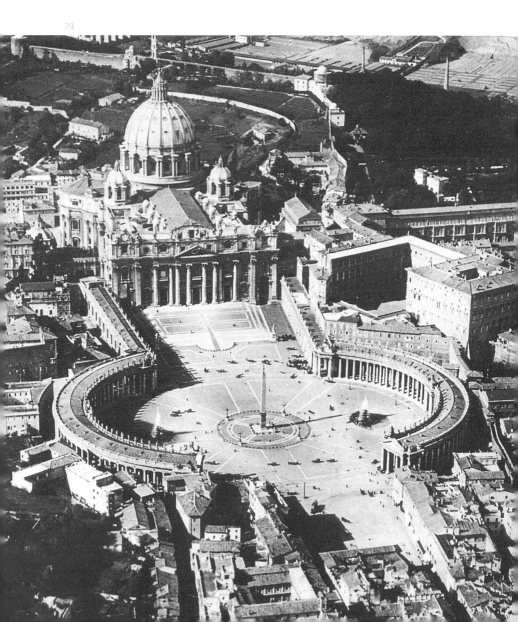

贝尔尼尼设计的这座大巴西利卡的前庭是一个巨大的椭圆形空间，部分由两个半圆柱群圈定。**79**. 圣彼得大教堂和广场的俯视图，可见朝向教堂西立面的梯形四边形。**80**. 柱廊的部分，柱子为改进的多立克式，进深四柱，高50英尺。

80

柱渐次的连接方式，似乎比那两座建筑的柱式洋溢着更真实的古典精神。它既不是手法主义的也不是巴洛克式的。它是法国人对耶稣会教堂主题的自行阐释，这种阐释有它自己的古典标准，诸如普桑[Poussin]标准、拉辛[Racine]标准，以及教堂的建筑师芒萨尔[Mansart]标准，属于法国艺术的一个阶段。

在使用"文艺复兴盛期"、"手法主义"、"巴洛克"等这些宽泛的概念时，我们难免会有词不达意的感觉。但我们还是得使用它们，何况事实上我已把其中之一作为本章的标题，称为"巴洛克式的修辞"。巴洛克风格几乎总是修辞性的，带有夸张的感觉，是一种过于想打动人的修饰。当我们把建筑学作为一种古典语言来考察时，"巴洛克"一词可以帮我们锁定17世纪一些更伟大的建筑。下面我将分析三件这样的作品，来结束这一章。首先是贝尔尼尼[Bernini]的罗马圣彼得广场（图79、图80）；其次是勒伏[Le Vau]、佩罗[Perrault]和勒布朗[Le Brun]设计的巴黎卢浮宫东立面（图81），第三是牛津附近由范布勒[Vanbrugh]和霍克斯默尔[Hawksmoor]设计的布兰希姆宫[Blenheim Palace]（图82）。要是有人问我："你能肯定所有这些都是纯粹的巴洛克建筑？"那我立刻就回答："不，当然我不能肯定。"第一，没有哪一类叫"纯粹巴洛克"，它不过是个词，并不意味着有一个纯正的实体与之相对应。第二，显然可以确切证明这三座建筑堪享巴洛克称号，但同样也可以确切表明每座建筑各有一些特征，这些特征在某些构造中又使它们不能被称作巴洛克的。因此我们无须自扰，还是看看建筑本身，看它们对我们说些什么。

贝尔尼尼在圣彼得大教堂前，将此广场设计成一个巨大的封闭前院。现在看到的俯视图，是在墨索里尼时代被破坏前摄下的。这是个前庭广场，不是"入口"，而是一个封闭的空间，一个正庭，是为容纳接受教皇祝福的大型集会这一特殊目的而建造的。除了两个笔直的柱廊连接着教堂的正立面外，它由一个巨大的椭圆空间构成，这个椭圆空

间部分由两个弧形柱群限定。柱子有五十英尺高，进深四柱。这里有二百八十根独立式的五十英尺高的柱子，可能是世界上柱子最堂皇的集会。用的是什么柱式？多立克式？它们有托斯卡纳式柱础，而且有点儿比常规的多立克柱式高，所支撑的柱上楣构根本不是多立克式，相反地或多或少有点爱奥尼亚式。换句话说，由于它特殊的位置，贝尔尼尼吸收了法则，设计了他自己的柱式——融合了多立克的雄壮高贵和爱奥尼亚的优雅。这是一种少有的值得注意的柱式。有人照例把它写成多立克柱（因为它的柱头），但这多立克柱式完全带有它自己的个性。

　　这些柱廊产生了惊人的印象。请记住你在照片上看到的这些柱子被重复了三次，当你站在柱廊里面，有时游行的队伍也从这过道上经过，这些上升的圆柱拥挤在你周围，就像森林里的树木一样；阳光照

两座宫殿

巴洛克时代是一个宫殿的时代，为大教堂时代以来不为人知的奢华的建筑表现手法提供了机会。**81**. 勒伏、佩罗和勒布朗建于1667—1670年的巴黎卢浮宫东立面。立面的分割主要是法国式的，尽管高墩座墙上成对的柱子的设计可以溯源到布拉曼特。

82

射进来，从这个庄严的森林里望出去，你的目光穿过广场伸向远方，望到对面那同样又大又深的森林。不过这两个巨大的新月形中的任何一个，各自的节奏都会使我们轻易失去对它们的把握，但是节奏最终被首尾两端伸出的柱子控制住，又在中部加上两两成对的柱子予以巩固。这是一个绝妙的佳作。当然建造如此规模的结构，并完全使用柱子，这种机会也是百年不遇的，据我所知，此类机会再也没降临过，只能一直让人羡慕。

下面要介绍的宫殿是另一种格局，与之迥然不同。在巴黎卢浮宫（图81），我们看到了另一种柱廊，它被设计成皇家宅邸的一部分，东面前部的设计是欧洲建筑史上最伟大的篇章之一。卢浮宫营造了一百多年才完工。路易十四的大臣科伯特[Colbert]决心把东面前部建造成整个建筑的最成功部分。所有杰出的法国建筑师都被邀请来参加设计。一

83

些著名的意大利建筑师包括贝尔尼尼也应邀而来，他曾多次访问巴黎，他的设计虽被接受，但没有付诸实施。最终这项工程委托给另外三人：勒伏，宫廷首席建筑师；勒布朗，首席画家；以及有广泛科学成就的医生佩罗——他一直被认为是三人中最有独创才能和革新精神的一个。

　　结果是出人意料的辉煌。可以说，将罗马神庙在这种规模上与宫殿建筑相结合，以前从没有任何一位意大利大师成功过，甚至没有机会去寻求成功。卢浮宫首先打动人们的，再清楚不过的还是构造精细的科林斯式柱廊。它们的柱子是成对的，我们前面已在布拉曼特的拉斐尔宫

82. 布兰希姆宫建于1705—1724年，由范布勒和霍克斯默尔设计。与卢浮宫相比，布兰希姆宫是雅致的，有画面效果，带有动感，有个比较大的体块，为主的科林斯式与附属的多立克柱式体现了一种强烈的对比。83. 布兰希姆宫局部，显示出柱子和壁柱戏剧化的使用。

中看到过这种排列，这是为了窗户的需要而力图保证宽柱距的一个好方法，不过布拉曼特的柱子倚着的是一堵墙，而卢浮宫内墙一部分缩进去，以致柱子暴露在外，似乎的确成了一座神庙柱廊的一部分。但是浏览整个一条立面，你会明白虽然这个柱廊是其中一个彰显的、给人深刻印象的元素，但它决不是成功的唯一要素。卢浮宫的成功在于它对柱式在整体上的把握——包括它与建筑物的有机结合，以及它对整个建筑物的控制。那么这又是怎样处理的呢？正如我们所看到的那样，在两侧长廊里柱式有它的独立性，而在中央部分，它伸前一步以承托山花。这里柱子以一堵坚实的墙作背景，这堵墙有些突然，一个拱门嵌在里面，覆盖着主要的入口，拱门上饰有华丽的浅浮雕，在两端的建筑物上（法国

84

85

人称为亭阁，我们大多也这样称呼）墙面推前，柱子转变成壁柱，与在柱廊里一样，采用同一柱距。不过好像是作为一种补偿，末端亭阁上层正中开间（略微加宽）向内凹进，这里墙面与中央亭阁的墙面回复到同

威尼斯、皮得蒙特和西西里的巴洛克

意大利的每一个地区都有巴洛克大师，阐释着新的修辞精神下的情调和传统。**84**. 威尼斯圣母永福教堂[S. Maria della Salute]由隆盖纳[Baldassare Longhena]于1631年开工兴建。通常被认为过分强调美观，其实是极具智慧的设计。"凯旋门"式的入口建在一个八角形的平面上，预示着其内部的平面设计，从而达到视觉上的连续性。**85**. 都灵（皮得蒙特）的苏培加教堂[Superga]在八边形、鼓座和穹顶的结合上是另一个精巧的佳作。然而更多要归功于罗马风格，建筑师是尤瓦拉[Filippo Juvarra]，于1717—1731年建成。

86   87

一个平面，进而又用一扇圆拱窗呼应中间入口处的拱门。请仔细观察这一幅插图，因为卢浮宫在古典柱式控制一个较长的正立面方面，是一个无与伦比的杰作，不仅不单调，而且充满才智、优雅和审美的逻辑。我还要补充一点，卢浮宫的雕饰爽利、精致，是法国特有的装饰，而且它具有超乎寻常的生命力。在明媚的春日清晨，它看上去仿佛就是你一生中所曾见到的最新奇、最清新的事物。

最后是另一座宫殿布兰希姆宫（图82、图83），绝对不同于卢浮宫。这次不是充满各种精妙变化的长立面，而是有许多部分构成的一组

86. 瓜里尼[Guarini]受波若米尼几何实践的鼓舞，采用了不稳定的、相互冲突的内部处理。如都灵的圣洛伦佐教堂（1668年）中位于侧面的祈祷室里，中凸的帕拉蒂奥母题与中凹的形式相对比，并支撑穹顶的墩座。**87**. 晚期巴洛克在西西里对维尼奥拉的耶稣会教堂主题有了这样一种多变的阐释，该立面加在古代锡拉库萨[Syracuse]大教堂（建于1728—1757年）的外面。

建筑。它发展了上述这些手法，伸前缩后，形成的不是一条长而宁静的天际线，而是带有强烈动感的轮廓。布兰希姆宫是安妮女王为马尔伯勒公爵[Duke of Marlborough]建造的。作为他为国家服务的奖赏，同时也是英国军队荣誉的纪念碑。它是范布勒与霍克斯默尔合作的结果，显然是全欧最复杂的古典建筑之一。范布勒在他的作品中融入了两种很不相同的影响，一是你们会想到的——对罗马建筑以及它的所有古典大师和古典建筑理论家们充满热情的爱（关于这一点他从他的合作者霍克斯默尔那里得到全部支持）；另一种影响倒是当时人所意想不到的。范布勒对中世纪的城堡和英国建筑中那些最大胆的建筑——伊丽莎白和雅各宾时代高耸入云的有塔楼和角塔的府邸——怀有一种强烈的情感。在布兰希姆宫，这两种影响交织在一起，出现了你们所看到的结果：令人兴奋但外观上却杂乱无章。不过布兰希姆宫实际上并非混乱不堪，它最完美、最富逻辑地组合在一起。

首先拿左、右两边的那两座塔楼来说，它们使用了厚重的粗面石工，并用了众多支柱和小尖塔作冠顶。实际上这样的塔楼有四座，它们标出长方形的四角，使布兰希姆宫受到平面的约束。这些塔楼没有古典柱式。这组建筑的其余部分由两种柱式支配：五十英尺高的科林斯柱和一半高度的多立克柱。这两种柱式在塔楼的出入口起到一种对应作用，进入塔楼并从其中出来。整组建筑的中部是科林斯柱，包括门廊上很显眼的几根柱子及其左右两侧的壁柱。多立克柱藏在这排建筑里，只有在一楼的窗边才看得见（门廊每边有三扇窗），但它在两翼显露出来，接着的柱廊折了两折。然后转向，再折两折，进入塔楼消失。另一头从每个塔楼相邻的一边伸出来向前推进，直到仍旧成为正式入口，台阶遮掩在里面，顶上饰有许多兵器。这只是整个建筑布局的粗略介绍，但已经充满有节奏的舞步。布兰希姆宫远远比这丰富得多，比如门廊的竖杆急升穿过山花，然后转向后方与大厅的山花相会，这种手法全然不是感情

88

夸张，而是一个真正激动人心的创造。在布兰希姆宫，科林斯柱式贯穿了主体建筑，却在边上的不同柱廊中消失。要是范布勒和霍克斯默尔没有通过印刷品了解贝尔尼尼和他的前辈们的做法，他们是根本设计不出

德国巴洛克

意大利皮得蒙特地区巴洛克的影响进入了德国，引发了对各种教堂形式的自由发挥。柱式离开古代的庄严，进入一种新的舞蹈艺术的和谐，同时又毫不违背古典语言的基本逻辑。**88**. 齐默尔曼[Domenikus Zimmermann]设计的威斯的朝圣教堂[Die Wies]，1745—1754年建成，用了成对的长方形方柱，以致出现从地板到穹顶的一条连续、坚实的线，并渗入了灵动的洛可可装饰。**89**. 诺伊曼[Balthasar Neumann]的朝圣教堂[pilgrimage church of Vierzehnheiligen]建于1744年，他的设计采用了三个椭圆形组成的系列，中央椭圆通过一个巨型科林斯柱式，上升到神殿上一个椭圆形的拱顶。**90**. 阿萨姆兄弟设计的慕尼黑[Munich]的圣约翰·尼布马可[St John Nepomuk]教堂立面，建于1733—1746年。更多地应归功于贝尔尼尼和波若米尼（见图76、图77），阿萨姆将建筑与雕刻融为一体。

这样的建筑物的。在半个世纪前圣彼得大教堂就已结合了两种柱式。请将布兰希姆宫与小幅的圣彼得广场俯视图相比,将布兰希姆宫的巨柱与米开朗基罗在圣彼得大教堂设计的巨形壁柱相比。

我相信这三座建筑已用事实证明了巴洛克风格"修辞"的风采。我认为修辞是关键的字眼,这些建筑物有力地、戏剧性地运用了建筑的古典语言,以便克服我们的抵触情绪,使我们相信它们告诉我们的事实——那就是英国军队不可征服的荣誉,路易十四卓绝盖世的奢华或全世界对天主教会的信奉。

第五章 | 理性与考古学之光

　　古典建筑语言的使用，当它有了高度的修辞性时，在任何时候都隐含了某种哲学意味。只有热爱柱式，你才能美妙地使用柱式；而要热爱柱式，你就必须确信柱式拥有某些真实或美的绝对原则，相信各种柱式的基本权威已经表现为各种形式，在这些表现中，最简单的就是：罗马建筑是最伟大的，罗马人理解得最透彻。对罗马绝对的崇拜是了解我们文明中许多事物的线索。这是一种我们自己难以接受的崇拜。因为我们对罗马知道得太多，又不总是喜欢我们所知道的那些东西；也因为我们比以往更了解那些更早的，为罗马人的成功做出贡献的另一些文明。但要理解15、16世纪人的思想，我们不能那么复杂。布克哈特[Burckhardt]给我们讲了个动听的故事，事情发生在1485年，据报道，在一个古代石棺里发现了一具保存完好的罗马妇女的尸体，尸体被运到康萨维特利府邸[Palazzo dei Conservatori]，消息传开后，人们蜂拥而至，先睹为快。这位罗马妇女嘴眼半张，粉面如生。一位目击者说："比古往今来一切言语和文字所能形容的更美。那些没有亲眼目睹的人绝对难以置信。"当然这事是杜撰的，但反映出来的情绪是真的。如果这位妇女是罗马人，人们就会认为她一定比任何所见到的活人都美。

　　这种令人感动的，对罗马的尽善尽美盲目相信的情况绝大多数出现在15世纪。在曼特尼亚[Mantegna]的一些绘画中有大量表现，画中元老院议员、执法官、侍从官和百户长在壮丽的聚会厅和光辉的纪念性建筑中，准备重新扮演他们的角色（图23）。

　　但是一种信仰的单纯性使其成为脆弱的东西，如果它激起了行动，同样也挑起了探究和批评。而且在了解和接受罗马是最伟大、最优

91　　　　　　　　　　92　　　　　　　93

秀的这一事实的同时，人们也要求知道为什么。为什么罗马是所有建筑
精华的源泉？一种回答是：因为各地所有受过教育的人，一致承认罗马
建筑的美无与伦比；但那无非是一种未经证明的假设。另一种回答是：
它秘藏着某些数学规律。它所有的美，都是用数学规律说明的，不过这
也不易证明。第三种回答是更深刻的回答：罗马建筑源自人类历史最原
始的时代，通过希腊建筑承继下来，因而具有一种天然的正确性，几乎
是一件天然之作，并援引维特鲁威的观点加以佐证。维特鲁威认为多立

理性之光芒

引导建筑思想沿着理性道路前进的尝试，随着启蒙时代的开始而开始。**91**. 洛吉埃的《论
建筑》（1753年）的卷首插图，再现了原始人的"原木小屋"，一切的建筑杰作都是在
此基础上创造出来的。**92、93**. 对建筑的原始起源所做的两种早期推测，一幅图解为勒姆
［Philibert de l'Orme］1576年所作。另一粗面石柱由布拉曼特用在米兰圣安布罗焦教堂
［S. Ambrogio］的回廊里。

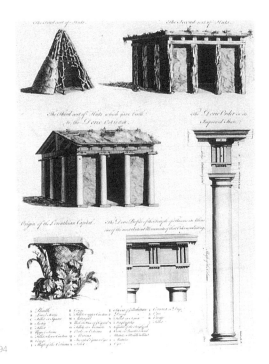

94

94. 从钱伯斯1759年的论著中摘出的插图。展示了多立克柱式从原始草屋开始进化的假设。

克柱式是从木结构原形发展而来的，最初的神庙用树干做柱子，由此推出起源于原始森林。对这种观点的一个奇特的暗示，可在布拉曼特设计的米兰圣安布罗焦教堂回廊中的一些柱子上见到，在石柱的柱身上刻有枝杈被锯去的痕迹（图93）。

　　但是这个"为什么"的问题，在17世纪前还没有真正困惑着哪一个人，以后这个问题也没有出现在意大利，而是在法国。我想这是很自然的。一种批判的精神不一定非得出现在古典建筑的故乡意大利，它可以出现在吸收并采纳这种建筑的其中一个国家——法国，那里凝聚了中世纪建筑传统的全部精华。大约在17世纪中叶，他们开始提出关于柱式的真实性以及用于现代建筑的方法等问题。柱式"天然的正确性"被认可，与此同时，法国的评论家们首先想到要确定柱式的纯正与完善。新的呼声出现在一系列著作中，首先是弗瑞特[Roland Fréart]著名的《古典建筑与现代建筑之比较》[*Parallèle of the Ancient Architecture with the Modern*]。该书对已发现的古代柱式与自赛利奥起的理论家们所阐述的柱式，作了详细对比，弗瑞特寻求的是严格筛选过的纯粹的东西，接着是卢浮宫的首席建筑师佩罗，他优美又具有探索性地对维特鲁威的著作加以注释；此外他关于柱式的图解（我已选用作插图4）可能是所有镂版印刷的柱式图样中最优雅的几幅。此后1706年又出了一本更著名的书《建筑新论》[*New Treatise on the Whole of Architecture*]，作者是法国的修士科德穆瓦[Cordemoy]，表面上似乎是另一种评论柱式的观点，与他的前辈同一倾向，但他远远超过了那些，科德穆瓦不仅要把柱式从每一种变形和故作姿态中解放出来，而且要除去把柱式用来装饰的一切做法，除去他所谓事实上成为"建筑的虚饰"这类构件：壁柱、半柱、1/3柱、附柱、装饰性山花、基座、顶楼等。他的观点是一种原始的清教徒派观点，他摒弃所有精微的建筑装饰语言，所有神秘和戏剧性的效果，所有意大利大师的杰作，使柱式仅仅说出它们自己最初的功能语言，不多也不少。

这种观点非常之妙，与法国这一阶段的思想全然一致，十分理性（当然这就是要点），不过并不能真正解决问题，即使在理论上也不成立，因为各种柱式本身在罗马时代，就已不是原始的了，柱式并未起功能作用，反而高度风格化了。大约五十年后，另一位法国修士洛吉埃[Jesuit Laugier]提出了另一种理论，打破了建筑体系，动摇了此后一个世纪甚至一个多世纪建筑思想的基础，他也许可称作第一位现代建筑哲学家。

当时所有建筑理论家设立的假说，是认为建筑起源于原始人为自己营造的原始草屋，从草屋走向神庙，在神庙方案上不断改进，发明了

95

多立克柱式的木质原形，之后又用石头将它营造出来，此后的各种柱式
一如此例。这个理论就是这样，而且人人都接受了，但根本就没有人去
仔细考虑一下，原始草屋是什么样的，而洛吉埃却这样做了。他使之视
觉化，具体将它描述为一个结构，包括垂直的柱子、交叉梁和一个有坡
度的屋顶，就像大家在他书里的复原模型上所看到的那样（图91），他
宣称这是最接近建筑真实情况的想象，用他自己的话说，"凭借这个模
型，所有建筑的壮美都可由此想象出来"。

　　这里，首先柱式的权威基础被削弱了——被另一些东西，被他们
自己想象的一个假设原型所代替，而后者是一个起功能作用的理性的雏
型，洛吉埃并非想废弃柱式；相反，他相信更多的柱式可以被创造出
来，只是他要求建筑师使用柱式时，就像它们作为草屋的柱梁结构那

96

样，具有真实感。他同意科德穆瓦主张所有"建筑的虚饰"都必须摒弃
的观点，同时更进一步提出，甚至连墙也要取消。在洛吉埃看来，理想
的建筑完全由柱子构成——柱子支撑梁、支撑屋顶。

　　这个观点表面上似乎有点可笑；不过对20世纪末期的我们来说，
我们周围的新建筑在钢筋混凝土的柱子间，除了玻璃窗外，什么也没
有，回头再看这个观点就未必那么荒唐了。然而在1753年，那时还没有
一个建筑师敢于提出废除墙壁这一如此狂妄的建议。至于洛吉埃，他不

95、96. 巴黎先贤祠。这是一座试图在室内用单一承重圆柱系统建造的完美建筑，尽管这
一尝试并不是很成功。它于1756年动工兴建，是新古典主义第一座伟大的纪念碑。图96
即其内部。

是一个建筑师，而是一位哲学家，擅长抽象，他当然知道墙不能也不可能被废弃，他在建立一种建筑美的原则，他相信这个原则与一系列柱子有关，同意他的这一观点毫不困难。请看，单一的柱子在图纸上仅仅是一个点，或者说，是一个非常小的圆圈，它只给你一个柱式的圆柱半径度，此外别无其他。但是两根柱子立刻就给你提供了一种柱距，因此是一种节奏，由于这种模式，你得到整座建筑的胚胎。这个原则在今天就跟它在二百三十年前一样在逻辑上是成立的。

而洛吉埃出版的著作《论建筑》[*Essai sur l' Architecture*]在1753年究竟产生了什么样的影响？它在法国被人们争相阅读，它的译本两年中在英国和德国传播开来，在全欧洲引起争论并被攻击、玩味或拒之门外。我以为建筑实例可以充分说明1755年后任何新奇、革新的作品，不是受到洛吉埃观点的影响，就是站在它的对立面。最惊人地体现其原则的建筑，就是巴黎的先贤祠[Panthéon]（图95）。它已不是教堂，不过一开始它是敬献给圣热内维埃夫[St Geneviève]的一座教堂，建筑师是苏夫洛[Jacques-Germain Soufflot]。他根本不是洛吉埃的门徒，但他的建筑思想接近洛吉埃，也可能受到他的影响。要是你们看了先贤祠的入口，恐怕会觉得相当困惑，它不同于洛吉埃所提倡的一切，几乎全是墙，但如果仔细看，你就会在墙上发现灰色长方形的补痕，这些就是被填实的窗户，实际上苏夫洛的创作意图是窗户比墙面多，但它的安全因素实在太低，窗户只得被堵死。在建筑物内部，这点更为严重，原来的非石造部分也不得不加固。然而苏夫洛的意图还是很清楚的。直到今

想象之光

理性的时代或许也是想象的时代。**97.** 皮拉内西的《监狱场景》[Prison Scenes]发表于1744年左右，吸收了巴洛克剧院的建筑手法，但也完全是建筑罗曼蒂克的粗面石工作品。柱式不用了，可是粗糙的石砌拱门仍然令人想起了罗马。

天、你走进这座脆弱、冰冷、精妙的建筑，还能感到这一点。他试图建造一座完全用柱式，用一圈独立的圆柱表现的建筑，不仅外观美丽，而且实际起到支撑整个屋顶的作用，他几乎成功了（图96）。

在前面我特别指出对柱式勾勒线脚特别强调的帕拉蒂奥的威尼斯救世主教堂[Redentore]（图40），从那时到现在是一个非常漫长的历程，如果说帕拉蒂奥强调了柱式的长处，那么苏夫洛则显示了它的精华。把这两座教堂放在一起可以明显看出16世纪中叶和18世纪中叶在观念上的不同，帕拉蒂奥力图超越一切去追求真实的罗马，苏夫洛则更哲学化地力图达到罗马之后的真实。柱式最初的结构与审美的真实，可以说是融会贯通了。

先贤祠是可被称为新古典主义的第一座重要建筑——"新古典主义"用来表示建筑，一方面趋于科德穆瓦和洛吉埃提倡的理性的单纯化，另一方面要以对古代最高的忠实来表现柱式。理性和考古学是构成新古典主义的两个互补要素，并使它区别于巴洛克建筑。不过它们是否真是如此呢？我再一次告诫你们，不要给这些名词下一个太精确的定义，还是回想一下我在前一章描写过的巴洛克的重要作品之一——贝尔尼尼的圣彼得大教堂前的广场。你们或许会说，还有什么可能比那两弯由完全独立，不加任何修饰的柱群所构成的巨型新月更接近于洛吉埃的理念呢？事实的确如此。正如时常发生的那样，当一个新的理念在被用言语来表述之前，它早已在某个特定的场合中充分地、不经意地呈现在众人面前了。

这类建筑在英国建筑中出现得甚至更早，并且特别引人注目。请看考文特花园广场琼斯设计的圣保罗大教堂（图45），它建于1631年，假如它不算新古典主义建筑，那我就不知道它该算什么了。它是基于维特鲁威的托斯卡纳柱式而做的对古风的研究，那优美、舒展的屋顶，那些巨大的间距疏阔的柱子，几乎纯粹是考古学。至于你们看到的基本结

构，事实上当然比原始草屋进步，一百年后，在洛吉埃的新理论被系统
阐述前，仍然受到赞誉，英国承认琼斯在这方面的领导地位。1734年有
一个可能有些溢美的评论，把考文特花园广场的教堂描写成"艺术家所
能创造出来的无与伦比的最完美的建筑物之一"。如果你们和新古典主
义者有同感，你们就会明白它意味着什么。在这个评论之前，仅隔一两
年，伯林顿勋爵通过约克的议会厅［Assembly Rooms］（图47）阐述了
他对维特鲁威考古学的看法，那是埃及厅［Egyptian Hall］（图46）完美
的重建，一个从帕拉蒂奥的木刻图版得来的维特鲁威式样。

　　我不敢说洛吉埃听说过这些建筑中的哪一座，但是苏夫洛显然了
解一些英国建筑，因为他采用圣保罗教堂的穹顶作为先贤祠穹顶的范
本。你们自己可以判断这个模仿是否获得圆满成功。在我看来，先贤祠
更窄的柱距以及取消每隔三个开间上填实的扶垛，目的在于减轻重量。
先贤祠的穹顶，在下面十字形结构的矩形上，圆得太轻巧了，苏夫洛毫
无疑义地认为他在净化雷恩的设计，摒弃科德穆瓦所谓的"建筑的虚
饰"，抓住基本成分。

　　洛吉埃对英国建筑的实际影响是另一段故事，并且是一段重要的
历史。我们先前看到，英国已形成一个清教主义建筑的强大传统，首先
起自琼斯，之后不断成长壮大，甚至有时在雷恩及霍克斯默尔那里也出
现，并且在绝对沉溺于帕拉蒂奥的18世纪中叶也存在。但或许正是英
国人那清教徒式的建筑观点，这一事实使他们不愿意与洛吉埃彻底站在
一边。加之英国骨子里又是不可救药的浪漫主义，如果说洛吉埃的理性
主义在某一方面有所推动，那么伟大的建筑师皮拉内西［Giambattista
Piranesi］理性的无理性创造则促进了另一方面。皮拉内西的想象力让人
无可抗拒。请看图97皮拉内西著名的监狱场景之一——一张几个洞穴般
的罗马拱门透视图，支离破碎，充满了恐怖，并且粗面石工的装饰比曼
图亚的任何一座建筑用得都要多，人们还以为一个建筑师几乎不可能同

时用洛吉埃和皮拉内西的方式来表现他的英雄们。

然而一些英国建筑师就这么做了，例如丹斯[George Dance]，他的新门监狱（图98）显然是皮拉内西的调子，可他的另一作品，就很清楚是受到了洛吉埃的影响。总的来说，完成的建筑是反洛吉埃的。钱伯斯爵士是一部伟大的英国18世纪建筑论著的作者，他既反对原始草屋的理论，也反对毫无保留地剔除四周除了柱子外的一切。他在书中解释了多立克柱式的发展，书中的插图（图94）是读了洛吉埃的著作后肯定可以画出的原始草屋的两种翻版。

不管洛吉埃的思想在英国的实际影响是什么，原始主义的理念，以及回溯到真实无染的建筑美的源头的观念，无疑在英国盛行起来。它产生了两个重要的成果，一是希腊的复兴，另一是索恩爵士[Sir John Soane]独特的原始主义。

对于希腊的复兴，英国起了一个非常特殊的作用。直到18世纪中叶，希腊建筑还是一个神秘的事物，众所周知罗马人继承了希腊建筑，假如问题是要寻找"无污染的源头"，那么希腊显然是应该去寻找的地方，但是没有人曾去过希腊，毕竟去那儿路途太遥远了。它是土耳其帝国的一部分，对一个西方旅行者来说，既不方便又不安全。然而1751年，两个英国人，斯图亚特[James Stuart]和瑞威特[Nicholas Revett]向雅典进发。三年后他们满载而归，1762年他们著作的第一卷面世，书中有希腊建筑的精确测绘图。法国人鲁瓦[Le Roy]为了先发制人，在1758年抢先发表了一部插图较多的著作，但是斯图亚特和瑞威特还是成为众所公认的权威。

98. 伦敦古老的新门监狱[Old Newgate Gaol]由丹斯[George Dance]设计，建于1769年。粗面石工的语言和皮拉内西的黑暗幻觉被引入这座建筑，它既是一种象征，又是一个用以惩罚的堡垒。**99**. 伦敦的郡议厅[Conuty Hall]由诺特[Ralph Knott]设计，建于1911年，皮拉内西的精神给行政当局的所在地以权威和纪念碑的感觉。

98

99

100

当人们第一次看到准确记录的帕台农[Parthenon]神庙（图100）
和提赛昂神庙[Theseion]这些伯里克利时代希腊多立克柱式的重要范例
时，他们有何感想？与罗马多立克柱式相比，是因为时代更早所以它们
更粗糙和不完善，还是因为更接近源头所以更单纯？这完全在于人们寻
找的是什么，一些人这么看，另一些人那么看。你们看希腊多立克柱式

希腊再生

18世纪中叶，对原始的探求导致了对希腊古代纪念建筑的调查。希腊建筑开始被看作罗马
建筑粗糙的原形，它们形式上的纯熟和更纯粹的外形很快就被人们所接受。100. 1784年
后，人们获得了帕台农神庙相当精确的细节。101. 到1825年，汉密尔顿的爱丁堡中学建成
时，古希腊雅典卫城[Acropolis]多立克式神庙成为英格兰和苏格兰无数公共建筑最受人喜
爱的式样。

比罗马多立克柱式粗短、魁伟，另一方面它的轮廓线却更紧凑、精巧。各种解释自然是不可避免的了。第一座英国建造的希腊多立克式建筑，被当作一件新奇、独特的纪念物来看待，它采用神庙的形式，门廊又迎合绅士的口味，但是大约在这个世纪初，人们开始确信希腊多立克——乃至希腊爱奥尼亚和希腊科林斯——在各方面都比它们已获成功的罗马摹本更纯更美。希腊复兴已经开始了，现在不是五种柱式可供选择，而是八种。五种是很早以前由赛利奥确立的罗马柱式，三种是斯图亚特和瑞威特推选出来的希腊柱式。复兴者当然以此为限。

在英国发端的希腊复兴，最终在整个欧洲兴起并很快传到美国，一直延续了三十年左右。我不认为任何人都会把它作为建筑史上比较辉煌的插曲之一。希腊柱式总是让人觉得是珍稀的事物，是放在博物馆里的展品。希腊人从未发展出像罗马人那样大胆的结构风格，因为

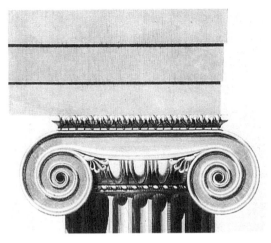

102

希腊人从不使用拱门、穹顶或建造巨大的多层建筑物，所以复兴的希腊成分，被用作现代建筑华贵浓重的附属物，若没有这些附属物，现代建筑就会逊色。请看汉密尔顿[Thomas Hamilton]设计的爱丁堡中学[High School at Edinburgh]的照片（图101）。该建筑建于1825年，是一个最壮观而又有说服力的希腊多立克式作品，优美地坐落在卡尔顿山[Calton Hill]上。但我确信如果把所有建筑装饰减掉，仅留下学校作为一个功能性建筑放在原处，它还会存在，采光也可能更好些。同样的说法也可以用于大英博物馆[British Museum]（图103），当然我知道这不太公正，"无用"的门廊和"无用"的柱廊，完全是正当的建筑表现，但是当它们只成为建筑的一种具有文化意义的附件，遮拦、覆盖并装饰这些建筑物而并非真正地起支配作用时，就真正走到了一个尽头。

102、103. 大英博物馆的柱子高45英尺，始建于1844年，斯默克爵士[Sir Robert Smirke]利用了已发表的小亚细亚狄勒塔尼[Dilettanti]社会的研究成果。他的爱奥尼亚柱头是普里恩[Priene]的雅典娜·波里阿斯神庙[Athene Polias]中的那些柱头。

索恩是这一阶段最有独创、最具探索精神的人物之一。对于希腊复兴，他从不使自己限定在任何一种事物上，他的设计总是出自内心。他熟谙希腊柱式，对罗马柱式理解更透，他也了解意大利建筑，对洛吉埃十分欣赏，这一切使他得以追寻到事物的本源，进而使他自己的系统成为建筑设计的基础。洛吉埃的原始主义——回到史前的开端上去的思想——已经摆在他面前，他也非常首肯，而他准备走得更远，真正从他的实践中，去除所有惯用柱式，创造出他自己的"原始"柱式。你们可以在达利奇美术馆[Dulwich Art Gallery]看到这一点，该建筑尚存，索恩博物馆藏的一幅画可供参阅（图107），索恩的柱式在这里不是别

103

古代的简洁

简单的几何轮廓和考古学考证出的纯正细节合为一体，体现在晚期新古典主义的重要代表作上。**104**. 欣克尔[Schinkel]的柏林历史博物馆[Altes Museum]（1824—1828）立面采用了十九个开间的敞开柱廊来做更多的调节，没有其他更多的线脚，只用台阶让人静静地步入边上的码头，柱廊与中央大厅坚固的实体形成了一个明显的反差。**105**. 圣乔治大厅[St George's Hall]的主要建筑部件的布局是类似的处理手法。它于1838年由埃尔姆[Harvey Lonsdale Elmes]动工兴建于利物浦。

104

105

的，而是一个砖墩或一个砖条加一个石颈，上面有一个石质突出部件，而这个突出部件就算作上楣。他没有洛吉埃那样对壁柱抱有敌意。批评索恩的人嘲笑这个柱式为"维奥蒂亚"[Bœotian]柱式，看不见任何一个惯用的柱子甚至一个惯用的线脚，一切都被抽象概括，加上索恩自己的阐释，非常具有独创性，似乎显示了建筑的新自由。在我们看来是这样，可他之后的一代人并不这么看。他死后，其风格也随之消亡，没有人为此感到遗憾，希腊复兴也宣告终止。洛吉埃和他的思想被遗忘了，似乎古典建筑语言的历史就此结束。

但是它并没有结束。至于这种语言的故事是否过去已经结束或者未来也会结束，我不知道，但我敢肯定的是，作为古典建筑的那些基本成分渗透在19世纪的混合风格之中，并在20世纪的建筑革命中发挥了不可或缺的作用。这场革命产生出的建筑，我们一直使用到今天。

第六章 ｜ 古典进入现代

　　到了20世纪前半期，世界的建筑风尚完全改变了。我们现在可以从历史的维度，探讨通常所说的建筑中的"现代运动"在那一时期，在那个变化过程的中心所起的作用。这场运动开始于1914年前的十年间，它的创新声势在20世纪20年代末达到最高峰，在第二次世界大战后像一枚迟发的炸弹爆炸开来，填补了战争带来的巨大空缺。它的影响不断扩散，直至今日。那又典型又熟悉的薄、高、光洁的石块，混凝土的柱子和由模子翻出的窗户，在工业化世界的每个角落随处可见。

　　这就是20世纪的建筑革命——在世界历史上最重要、最广泛的革命。在它的发展进程中，建筑形式的问题渐渐让位给技术和工业化问题，以及为满足社会需要而进行大规模计划和大批量生产的问题。这些问题与其说是建筑学的问题，倒不如说是建造的问题。那么在此之中，建筑的"语言"在哪里？要想做出回答，我们必须寻求现代运动的历史渊源，从那些领军人物的思想和作品中寻找答案。我们将不得不追溯到18世纪和"启蒙时代"，考察延续下来的传统和现代运动的先兆。

　　你们是否还记得先前我已提及的洛吉埃修士的建筑哲学。他向世人展示了他想象中的原始草屋或"原木小屋"的样子，将此作为一切建筑美的最初起源，这一图像相当离奇有趣，仅有四根树干，树杈交错其上作梁，还有更多的枝条作椽子，没有墙。这样的一座建筑可能对任何人都没有用，不管怎么原始，可以假定它从未真正存在过，只是洛吉埃的想象。它没有得到考古学界的认可，就像卢梭的"高贵的野蛮人"几年后出现于文坛却没有得到人类学的认可一样。事实上，它只是一个象征性的图式，它的意义在于，在罗马、希腊建筑背后，还有一个原则，

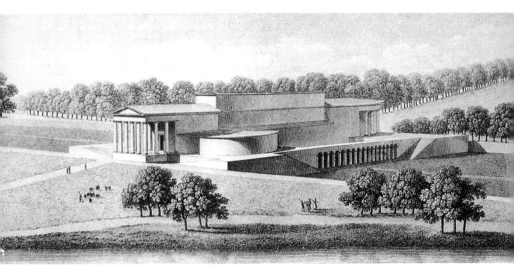

106

一个建筑的纯粹本质。

　　这里有一些意蕴，我认为洛吉埃自己尚未意识到，他之后经过相当长的时间才真正被揭示出来。如果原始草屋是"纯"建筑，那么它是否意味着这是对栖身处这一重要问题的百分之百有效的解答？显然不是。或许它意味着"纯"建筑只限于柱子、梁和椽子？在洛吉埃的观点中似乎有这种倾向，但在某种程度上，他的原始草屋仅仅是对古典神庙形式最大可能的简化——这种表述依然属于古典建筑语言的范畴之内。另一方面，它包含了理性的萌芽（柱子仅仅是一个柱体，山花只是一个竖起的三角形）；实际上这也包含了一个建筑形式的萌芽，一个去除所有装饰和造型的表现手法。而且（树桩也修整平滑）严格说来它就是个固体几何形式，但它仍然是建筑。

　　到18世纪末叶，这样的建筑成了事实或几乎成为现实，它在很大程度上具有乌托邦意味。最令人惊异的例子，是1805年法国建筑师勒杜

[Ledoux]设计的理想城规划，它从未被付诸实施，但是已公之于众。这是一个梦幻般社会中的梦幻般城市。而且有一些内容其目的和形式同样令人惊讶。图106是其中之一。那是一个青少年的性教育中心——一个在我看来极理想化的事物——配备有周密的计划，这里我们无需涉及。不过请看它的几何学，复杂而又和谐，体块的处理与景致优美地结合在一起。它使人不禁想起柯布西埃[Le Corbusier]在1921年写下的对建筑的定义："建筑是体块在阳光下巧妙的、壮美而精确的组合。"柯布西埃也设计了一个理想城市拉迪埃斯[Ville Radieuse]，根本用不着惊讶在20世纪20年代会有一个建筑学学者认为值得写本书，对勒杜和柯布西埃的两个乌托邦进行分析。不过这并非意味着柯布西埃受勒杜的影

现代的简洁

形式的简洁，被视作原始高贵性的一个方面，迅速指向建筑激进主义。**106**. 在勒杜的理想城市（约1785年）中，"俄克马"[Oikema]其毫无掩饰的几何形状极具革命性，虽然他依然对考古学表示敬意，采用了有柱门廊。**107**. 索恩爵士的个人风格摈除了古典的语法，但是平滑的砖壁柱的形状和光洁的表面则与"原始"画上了等号，这里所见的是达利奇艺术馆[Dulwich Art Gallery]及其奠基者的陵墓，建于1811年。**108**. 索恩设计的英格兰银行大厅，它轻盈的光线与平面和空间的纯粹组合，几乎完全是古典观念简化中的绝唱。图中是其中一个殖民厅[the Colonial Office]，建于1818年。

107

108

109

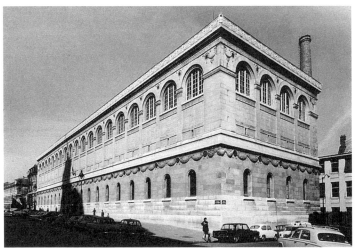

110

111

新古典主义的继续

新古典主义有很长的生命，席卷19世纪的浪漫主义风暴并没有摧毁它。这一风格在20世纪的美国表现出它所有的古典性与重要性。**109**. 在慕尼黑，克伦泽[Leo von Klenze]创建了国王广场[Königsplatz]，一个地道的希腊式都市作品。由一个雅典卫城式的入口[Propylaeum]和绘画与雕刻博物馆组成。这里所见的格利普托切克雕像厅[Glyptothek]于1816年兴工。**110**. 法国的拉布鲁斯特[Henri Labrouste]在他的圣热内维埃夫图书馆[Library of Ste Geneviève]（1840—1850）中采用了新手法。这个建筑没有使用柱式，但是古典建筑语言的使用不仅是在功能上的，也用来象征结构功能上的应用。在石块的外壳内，其建筑结构主要是钢铁的，并以优雅的庞贝风处理。**111**. 培根[Henry Bacon]设计的华盛顿林肯纪念堂[Lincoln Memorial]表明，在1917年，新古典主义依然方兴未艾。

响，至少就我所知不是。

勒杜热衷于把建筑看作简单几何形式的集合，他同时代的另一些人也是如此。例如，时隔不久，德国的欣克尔设计的柏林历史博物馆 [Altes Museum]（图104）形式就非常简单，但极其有效，主要由一个长方体块构成。它的一边是开放的柱子围屏，以里面的一堵墙为背景，但在中间，博物馆中央大厅的立方体在墙后升起，它确实是一个简单而又有力的三维组合。与大英博物馆相比，虽然后者有华美的柱廊，却不具有形式感。因为大英博物馆全部是柱廊，它对后面的建筑物没有一点建筑暗示，对外面的观众来说，有与没有无关紧要。

虽然我已经强调了勒杜的设计和欣克尔的博物馆中纯几何形式的重要性，但毋庸讳言，柱式仍然呈现在他们的建筑中。在勒杜的设计中，希腊式的柱廊在建筑物的一端控制它的主线，同时一个半圆的柱廊在建筑物的另一端呼应，在欣克尔的博物馆里也有壮观、美丽、精雕细刻的柱廊，柱式在整个设计中起重要的作用，古典的建筑语言仍有相当强的生命力。柱式不仅仍然存在，而且起着支配作用。尽管这时我们似乎已经处在现代建筑的门口，但这个门槛，我们花了很长时间才得以跨越，19世纪的大部分时间和20世纪的部分时间，都在其间徘徊。

19世纪时，建筑糅进了大量的历史风格，可能我们会认为过分强调了。古典风格的建筑继续被建造，不仅是回到希腊和罗马，而且是回到古典建筑发展的每一成功阶段，把过去看作辉煌的思想源泉。我们在前面提到过，科克里尔[C.R.Cockerell]在牛津，他在新阿什莫林[New Ashomolean]（图63）建筑的设计中，运用了取自希腊神庙的装饰，罗马凯旋门的圆柱处理，维尼奥拉的上楣和部分佛罗伦萨人文主义者以及霍克斯默尔的要素。同样，加尼埃[Charles Garnier]的巴黎歌剧院 [Paris Opera House]（图113）比阿什莫林晚二十年建造，包含了布拉曼特的基本观念。还有卢浮宫柱廊（图81）——在其中还挤入一个米开朗基罗的卡皮托尔式附属柱式——与早期卢浮宫的部分结构和一个罗马式顶层结合在一起，这就是说，古典派的设计者围绕过去的成就，寻找可以再一次用不同方式或不同组合方式使用的东西。

　　与此同时，洛吉埃时代那些充满活力的进步思想却转入了一个相当奇怪的方向。对法国人来说，不管具有怎样的古典精神，也决不能抹煞这么一个事实，即一些最大胆有力、富有创造性的建筑，是竖立于他们自己国土上的中世纪大教堂。法国从没有英国人那种对哥特式怀旧的情感和偏狭的崇敬，他们只赞赏它的工程技术，赞赏它由拱顶教堂所代表的结构的有效性和完整性，因而他们将有关理性建筑的观念从对古代的兴趣转向对中世纪的兴趣，也就顺理成章了。不管怎么说，19世纪最伟大的法国理论家勒迪克[Viollet-le-Duc]花了大半生时间阐释作为完全理性化建筑的哥特式建筑，并在他的讲义里提出对现代世界的挑战。要创造一种使用木料、石工以及钢铁和玻璃的现代建筑——让它在结构上像哥特式建筑一样既经济又理性。他的挑战在不同方面得到了回应。19世纪90年代实验性的新艺术[Art Nouveau]，对他提出的问题做了一些尝试性回答，但那些尝试没有一个是成功的，既过于牵强又散发出太多的匠气。不过真正的回答毕竟还是会出现的，它不是来自一个天才，也不是独具匠心、朝露溘至的哥特派哲学，而是来自充斥于全欧洲相当长时期的古典传统。

　　仍然被称作建筑的"现代运动"的这段历史，已经被撰写了若干次了，还可能被写更多次。这里对涉及到的这一复杂的历史阶段，我唯一的任务就是揭示出古典语言是怎样，并在什么程度上进入这个现代运动的？它产生了什么影响，又有多少影响遗留下来？这也是我这本书一贯的主题。最直截了当的办法就是径直去看第一代两位伟大的先驱者的作品：德国的贝伦斯[Peter Behrens]，生于1868年；法国的佩雷[Auguste Perret]，生于1873年。

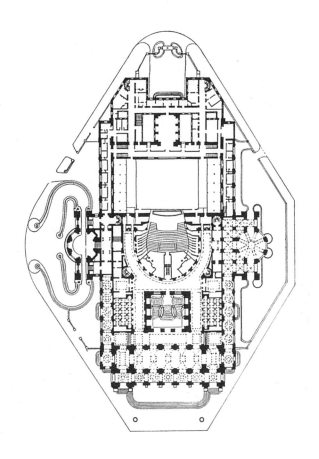

112

艺术学院传统

巴黎美术学院从1819年到1914年是欧洲建筑教育的统治中心。它倡导的建筑哲学传遍了世界。这就是"设计"[Plan]的哲学。建筑的水平线不仅是它表现力的线索,而且是整个艺术效果的发生器。**112**. 加尼埃的巴黎歌剧院不仅设计精心,就连它的图纸也是一幅优美的图案。**113**. 歌剧院的外观,在欧洲古典传统的范围内博采众长:吸收了雷斯考[Lescot]卢浮宫的亭阁,卢浮宫的柱廊和米开朗基罗的卡皮托尔诸宫殿的若干因素,装饰奢华,富有创造性。**114**. 珀莱尔特[Joseph Poelaert]的布鲁塞尔法院(1866—1883),比之加尼埃的设计毫不逊色,但是它的外观是一座傲慢夸张的山状物,不合常规。这种特征极不常见,不过也符合该建筑的用途。

113

114

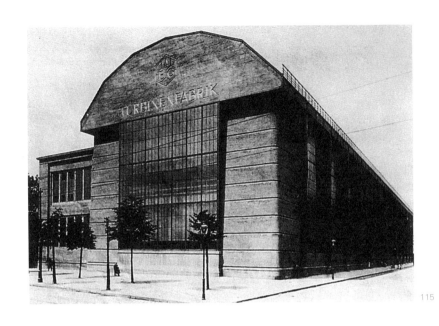

贝伦斯起初是个画家，他是20世纪初德国艺术与手工艺运动的领军人物之一，大型电力联合企业AEG（德国通用电器公司）聘请他为建筑师和艺术顾问。1908年他受聘为柏林的一家工厂设计一个汽轮机车间。贝伦斯面临着这样一个问题：既要为严格的工业性目的设计厂房，又要使它获得公司所期望得到的"声望"。此时按德国的典型思路，贝伦斯应该回到德国新古典主义和欣克尔时代去，我们此前介绍了欣克尔

古典进入现代

20世纪革新派的大师们形成了各自对古典语言的态度，虽然这种结果总是意味着对柱式和它们传统特征的严格排斥。由于柱式的消失，我们所定义的古典语言的历史就到此为止了。115. 贝伦斯于1908年设计建造的柏林通用电气公司汽轮机车间，这是一座革新的建筑，却仍然通过暗含的山花、柱廊和粗面石工反映出神庙的印象。116. 佩雷的海军工程兵站［Naval Construction Depot］（1929年建）运用了主要和附属柱式的手法，虽然"柱式"一点也没做出来，只是蕴含在形式中。

的柏林博物馆。汽轮机车间（图115）实际上是按神庙轮廓设计的新古
典建筑，只是除去或改变了所有风格上的标记和象征而已。你们可能还
记得索恩在一百多年前也做过类似的一些尝试（图108），与此相仿，
而且在某种意义上说，贝伦斯在1908年的建筑并没有比索恩1811年在
达维奇所做的进步多少。只是索恩依照传统，苦心设计他的风格，并尽
力不更换施工材料，而贝伦斯不得不接受钢筋结构的挑战。如果不接受
这种材料在经济上的主宰垄断，建筑师很快就会被赶出行业。因此汽轮
机车间的古典柱廊是通过建筑物侧面不加修饰的垂直线，实际上是钢支
柱表现出来的。神庙的有柱门廊缩小进入一个"山花"下面的大窗户
里，这个山花并非三角形而是呈多角形，以适应其上的屋顶结构。在壁
角上是平滑的墙面，饰有一些水平线条，用来暗指粗面石工。如果贝伦
斯没有采用"倾斜"的手法——也就是内倾——那么他的倾斜的实墙与
同一侧的窗户，就会在同一平面上，那么就不会有现在这么突出的效

117

117. 慕尼黑艺术之家[Haus der Kunst]（1937年）表明纳粹从现代运动中退出，进入一种象征性的新古典主义，既消极又冷酷。

118. 最后，阿布拉莫维兹[Max Abramovitz]1962年设计的纽约林肯表演艺术中心的交响乐大厅[Philharmonic Hall of the Lincoln Center]是此类建筑的榜样，它还有一种残留的古典韵律，各种比例与现代感相融合。

果。这一手法在何种程度上纯属美学范围？我不知道，但是它给屋檐制造出浮雕和阴影的效果。神庙建筑在这个位置上，我们一般要在上楣做出浮雕和阴影的。

　　贝伦斯的汽轮机车间是一件伟大的作品，但不是一种可以经常重复的作品。钢铁的挑战需要人们用更直接、更经济的手段来对应。贝伦斯的学生格罗皮乌斯[Walter Gropius]迈出了其后的第二步，离新古典主义更远，然而又没有失去美学上的完整，实际上也就是说没有失去古典柱式和对称的感觉。格罗皮乌斯在第一次世界大战前的工业建筑与贝伦斯的那些一样，都是现代运动极其重要的纪念碑。

　　我们现在从贝伦斯和他的学生格罗皮乌斯，再转向法国人佩雷，那是一位迥然不同的设计者，他既不需要也不想回到19世纪早期的新古典主义中去。作为一个法国人，他骨子里具有的是巴黎美术学院[École des Beaux-Arts]培养出来的依然充满活力的古典设计传统，那个设计学院最著名的代表作是巴黎歌剧院。如果你看一眼歌剧院（图113），然后再看佩雷的海军工程兵站[Naval Construction Depot]（图116），你就会发现二者之间的某种联系。后者是混凝土建筑，完全没有添加细枝末节，不过他对"柱式"的运用考虑得很周到，主柱式拔地而起直伸到类似下楣和上楣处，另一个隐约的第二柱式，它的柱上楣在二楼窗户上面，这座建筑几乎有着与歌剧院一样多的"浮雕"和节奏变化，尽管没有各种线脚也没有雕刻。

　　在现代运动的两位大师所创造的这些建筑物中，我们有了用钢铁材料（贝伦斯）和钢筋混凝土（佩雷）来阐释古典语言的两个范例。正是这些建筑，在他们的时代宣告了一种新的自由，脱离特定的柱式，但仍与古典建筑的节奏和一般处理手法密切相关。实在想不出任何理由来

回答，为什么这种图式的古典主义不能作为新建筑构造的媒介而一直获得成功——实际上，大量的建筑在表现手法上仍然与佩雷20世纪20年代的作品非常接近，只是以另一种方式出现，主要通过一位天才的创造性人物——柯布西埃[Le Corbusier]。他是当代建筑思潮中最具有创造思维的人，从某种程度上说，他又是最有古典意识的人之一。

柯布西埃出生于1887年，1908—1909年曾短时间在巴黎的佩雷事务所工作，1910—1911年他花了几个月时间在德国与贝伦斯共事。他的第一座建筑，在第一次世界大战期间建于瑞士，可以看到这些大师们的影响，尤其是佩雷的影响。战后他转向绘画，与欧桑凡[Amédée Ozenfant]一起卷入纯粹主义运动，他们的目的是用数学原则对即将崩溃的立体派施加影响。1920年柯布西埃开始从事建筑方面的写作。他的文章汇编成册，出版于1923年，即著名的《走向新建筑》[*Vers une Architecture*，*Towards an Architecture*]，这可能是当代建筑著作中传播最广、影响最大的一本书。

柯布西埃的建筑成就可简单地概括为：他完全转变了现代建筑，把它整个翻了个个。他发现贝伦斯与佩雷这些人通过把建筑纳入古典设计的框架，消除了以经验为根据的土木工程和工业化建筑的混乱。柯布西埃摆脱了这种框架，让工业化的形式说出它们自己的（常常是怪异的）语言。他通过运用所谓的"线条控制"[tracés régulateurs]，从而比贝伦斯和佩雷采用约定俗成的柱式达到更强大、更有效的控制。与此同时，柯布西埃还采取了另一种控制。这种控制从未被人完全遗忘过，但本质上属于文艺复兴时期，是阿尔贝蒂和帕拉蒂奥作品的基础。

这种控制的出发点是坚信建筑中的和谐关系是可以保证的，只要各个房间的形状和各墙面的开口，乃至整座建筑物中的所有成分符合一定的比例，这些比例就会与建筑物中所有其他比例相关联。这种理性的系统，在多大程度上能产生效果，让我们的眼睛和心灵能有意识地理

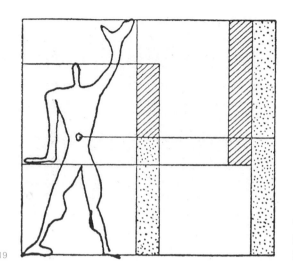

119

119. 勒·柯布西埃的图解，解释他"设计基本尺度"的概念。

解，我非常质疑。我觉得这种系统的真正关键，仅仅是因为它们的使用者（绝大多数也是它们的创造者）需要它们。各种极其丰富、具有创造性的思想，需要这种系统苛刻无情的法则来修正并同时激发创造力。从整体上说，这些系统的命运似乎证实，它们极少比其创造者和使用者存在更久，因为另一个有充分天才的人会创造他自己的系统。尽管如此，它们的重要性仍然不容低估。

在第一章里，我提到"古典建筑的宗旨总是要达到并展现各部分之间的和谐"。可能"展现"这个词与"总是"不应该这么近地放在一起，即使如此，一种展现出来的和谐——基于一种特定的、用于做参照的法则——是完全符合古典主义本质的东西，而且与柱式的使用有密切联系，后者以其自身表明结构的和谐。对柯布西埃来说，展示和谐总是极其重要的。甚至从他1916年的第一座佩雷风格的建筑中，也可看出"控制线条"统贯整个立面效果。纯粹主义的宣言与其倾向一致，而且在《走向新建筑》的一个章节里也讨论到"线条"，尽管只是相当肤浅地讨论而已。直到第二次世界大战早期，柯布西埃才形成了他在以后的全部作品中使用的体系——这个体系他称之为"设计基本尺度"［Modulor］（图119）。"设计基本尺度"一词产生于模数［Module］——一个度量单位，和黄金分割［Section d'or］。也就是说，一条线所分割的较长部分与整条线的比例等于较短部分与较长部分的比例。设计基本尺度是一个基于绝对几何的空间标志系统，并构成全部尺寸的"标度"［gamut］。这个标度的中间段与人体的尺寸有关，其他段一方面最小可到精密仪器的细部，另一方面最大可到大型的城镇设计规划。

柯布西埃竭力主张，设计基本尺度作为一个模数系统，如果广泛应用，能够解决许多工业标准化问题，并且促成我们整个物质环境的和谐。照理说这是有可能的，但事实却是自1950年发表后，人们对它的兴趣日趋冷淡。我以为此事如同许多其他事物一样，设计基本尺度真正的重要性在于它成为了作者思想内容的一部分，从而使他的设计富有独创性，例如他的朗香［Ronchamp］小教堂——在形式上如此自由以致实质上成为抽象的雕塑——但他总能确保完全把握住理性的秩序。

有如此多的古典本质渗透进现代运动，现在是回答"那么古典语言又怎么样了呢"这个问题的时候了。通常为人们接受的观点是现代运动扼杀了古典语言，这样说问题并不是太大。形成于繁荣的19世纪90年代的维也纳的现代主义者们所持有的最重要的信条之一，就是认为所有装饰都是堕落的，新时代的建筑会将装饰弃之一边，未来的建筑物将通过和谐处理必需的结构和功能性要求而展现在人们面前。这个苛刻的准则，在当时极其重要，现在依然是这个运动的一个主要方面。我们不能把它看作是一种陈腐的、清教徒式的一时狂热而嗤之以鼻，但它的确有一种破坏性的副作用，使大家头脑中的现代建筑的形象受到损害。假如一开始大家就认为现代建筑冰冷，毫无趣味，那可是件痛苦的事。因为当作品不断增加时，人们会认为它们更趣味索然，而过了几年，就会像一个丑陋不堪的妇人的脸那样扎眼。这一运动的人文意向并未深入人心。除了少数有见识的人外，对大多数人来说，这种建筑除了令人厌倦外，一点意思也没有。

现在已是20世纪80年代了，宣称现代运动的死亡早已成了时尚。作为一个严肃的声明，它是值得争论的。不过仍是一个有意思的想法，这个想法可能是现代运动产生后第一个真正启发人心的新观点。无论如何它解放了思想，意味着人们又有理由去讨论建筑语言并试图确定装饰的本质与价值，进而探讨建筑作为社会意义的载体这一更高层面的问题，由此可以推测到建筑的古典语言永远不会被人遗忘，对于古典语言的理解，必将作为建筑思想中最有影响的要素之一而存在。

术语解释

Abacus（圆柱柱头顶部的）顶板。任何柱头的顶端部分，是置于柱头顶端支撑梁（下楣）的一块方形顶板（图126）。

Abutment 拱座、拱脚。固体块状物，拱由此而起。

Acanthus 莨苕叶形装饰。高度程式化的植物图形装饰，用于科林斯和混合柱式的柱头（图120、121）。

Acroteria 像座。位于山花的顶上和两端的小垫座（初为置放雕像，但不常见）（图131）。

Aedicule 壁龛、小神龛。通常由两根柱子支撑一个柱上楣构及山

120. 自然莨苕叶

121. 程式化的莨苕叶

122. 壁龛

花构成的向外敞开的建筑构架（图122）。

Amphiprostyle 前后柱廊式，见Temple（神庙）。

Anta 壁端柱。相当于壁柱，但多用于希腊建筑，在那种建筑中壁端柱柱头与相邻柱子的柱头不同。当建筑的端墙突出来将门廊圆柱包进去时，这种门廊即称为"壁端柱式"的（图132）。

Araeostyle 疏柱式，柱间距为柱子的四倍。见Intercolumination（柱距）。

Architrave 下楣。柱上楣构的三个组成部分中最下面的一部分。这个词还可用于一扇门或窗上的任何线脚。而且事实上这种线脚常在严格意义上借用下楣的外形（图124）。

Architrave-Cornice 下楣-上楣。删去了中楣的柱上楣装饰。

Archivolt 拱边饰。沿着拱门线的线脚。

Astragal 小圆线脚。即横剖面为圆形的细线脚（图124）。

Attic Base 阿蒂克柱础。见Base（柱础）。

Attic Storey 顶楼。置于一座建筑的主要柱上楣之上的一层。在严格的建筑学意义上与柱上楣构有关（如在一些凯旋门上）。

Base（of a Column） 柱础。有三种主要类别：1.阿蒂克柱础，最通用，除了托斯卡纳柱式外所有柱式都使用。由两条凸形半圆线脚中间夹一条凹形半圆线脚与数条横饰线构成。2.托斯卡纳柱础，仅由一个凸形半圆线脚和横饰线构成。3.两条小圆线脚将两条凹形半圆线脚划分开来，而这两条凹形半圆线脚的上下各有一条凸形半圆线脚。它加上各种变化后用于爱奥尼亚、科林斯和混合式柱式（图125）。

Bead-and-Reel 串珠饰。见Enrichments（装饰）。

Bed Mouldings 深凹饰。在任何柱上楣构之上的花檐底板与中楣之间的线脚（图124）。

Bukrania 牛首饰。雕刻的牛头像，经常刻在多立克柱式中楣的三

123. 牛首饰

槽板间平面上。

Capital（of a column） 柱头。五种柱式的每一种都有它适当的柱头，托斯卡纳和（罗马）多立克式的柱头颇相似，主要由方形顶板、1/4圆凸线脚和更下面的一个小半圆凸线脚组成，多立克比托斯卡纳有更复杂的小线脚。爱奥尼亚由卷涡饰显出特色，在方形顶板和1/4圆凸线脚之间插入一个末端卷曲的构件。然而有时卷涡饰分别出自1/4圆凸线脚。科林斯柱头用两条莨苕叶形饰带装饰，同时类似蕨类的叶子伸到方形顶板的角上。混合柱柱头则结合了科林斯的叶饰和爱奥尼亚的卷涡饰两者。

Caryatides 女像柱。支撑在柱上楣构下的女性雕像。最著名的范例是雅典的厄瑞克特翁神庙［Erechtheum，Athens］。维特鲁威不恰当地认为它们表示卡里亚［Carian］俘虏，因此有了这个名称。

Cavetto 1/4凹圆线脚。一种凹形线脚。它的剖面通常是一个1/4圆（图125）。

Colossal Order 巨柱式。任何一种拔地而起，穿过几个楼层的柱子都可这样称呼。

Composite Order 混合柱式。这个柱式结合了爱奥尼亚和科林斯的特征，维特鲁威未描述过，可能是在他之后发展起来的。最先由阿尔贝蒂（约1450年）认定，并首次由赛利奥描述出来，作为第五种柱式，它是五种柱式中最复杂的一种。

Console 托石。一个呈S形旋涡的支架，一头窄一头宽。它有许多使用方法，或者垂直（如装在墙上托一个半身像）或者水平（作为悬臂梁露出的部分支撑阳台），拱门的券顶石经常参照它设计。

Corinthian order 科林斯柱式。该柱式为公元前5世纪雅典人的发明。但在早期它区别于爱奥尼亚柱式的地方，仅仅是用叶形装饰的柱头。甚至公元1世纪时维特鲁威也只描述了它的柱头"因为科林斯柱式的上楣与其他装饰没有特别的规则"。然而以后罗马人把科林斯的柱上楣构具体化，变成了相当不同的东西。柱头的最初设计被维特鲁威归功于雕刻家卡里玛库斯[Callimachus]，他说卡里玛库斯看到一个科林斯女孩的墓地上放着一篮玩具，并用一块石头平板作防护的盖子（方形顶板），在它四周生长着野莨苕叶，从而受到启发。科林斯柱式从16世纪之后，一直在罗马范本的基础上使用着，著名的如古罗马广场的维斯帕先神庙[Vespsian]、卡斯特和普鲁克斯神庙[Castor and Pollux]。

Cornice 上楣。柱上楣构的三个基本构件中最上面的一个，这词可指任何一个构成主要装饰特征的水平线脚。尤其是在房内墙和天花交接处的线脚。这类线脚在严格意义上说，一般按上楣的外形设计（图124）。

Corona 花檐底板。深凹饰[bed moulding]之上一个突然伸出的部分，是上楣的一部分。

Cyma Recta 正曲线线脚。上面凹下面凸的线脚（图124）。

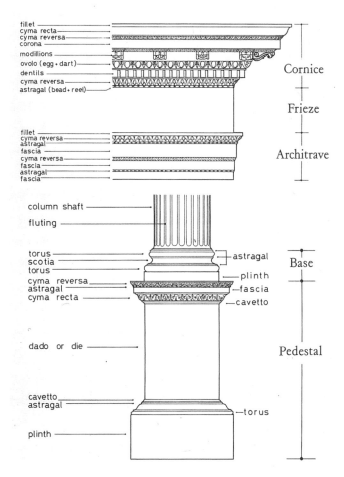

fillet
cyma recta
cyma reversa
corona
modillions
ovolo (egg + dart)
dentils
cyma reversa
astragal (bead + reel)

Cornice

Frieze

fillet
cyma reversa
astragal
fascia
cyma reversa
fascia
astragal
fascia

Architrave

column shaft

fluting

torus
scotia
torus
cyma reversa
astragal
cyma recta

astragal

plinth
fascia
cavetto

Base

dado or die

Pedestal

cavetto
astragal

torus

plinth

124、125.科林斯柱式：柱上楣构和柱础

Cyma Reverse 反曲线线脚。上面凸下面凹的线脚（图124）。

Decastyle 古希腊神庙的十柱式。见Portico（柱式门廊）。

Dentils 檐下齿形装饰。在爱奥尼亚、科林斯、混合柱式中的上楣上，由一些排列紧密的小块料构成，在多立克柱式上很少见（图

124）。

Diastyle 宽间距柱式。见Intercolumination（柱距）。

Dipteral 古希腊神庙双重周柱式，见Temple（神庙）。

Distyle in antis 双柱式。在壁柱和壁端柱之间以两个柱子为一组的处理方式。

Dodecastyle 古希腊神庙的十二柱式。见Portico（门廊）。

Doric Order 多立克柱式。希腊多立克和罗马多立克都源于希腊，但它们朝不同方向发展。它们的共同点：（1）中楣上有三槽板，花檐底板下面有檐口底托石和锥状饰。（2）柱头只是由一种或多种装饰线脚支撑一块方形顶板构成。希腊柱式没有柱础，维特鲁威也没有描述的柱础，希腊多立克从未有过，罗马多立克几乎总有柱础。但对于希腊多立克的充分认识和欣赏，到18世纪晚期才开始，因而在19世纪以前的近代，它极少出现。

Echinus （多立克式柱头的） 1/4圆线脚，见Ovolo 1/4圆凸线脚

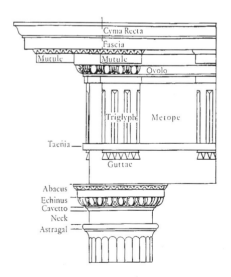

126. 多立克柱式

（图126）。

　　Egg-and-dart 卵箭纹——见Enrichment装饰（图127）。

　　Enrichments 装饰。有一些标准类型的雕刻装饰被用于某些特定

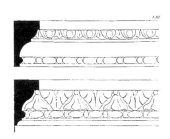

127. 装饰纹样：卵箭纹、串珠饰、水珠叶形纹样

的标准线脚里。因此1/4圆凸线脚用卵箭纹加以丰富，反曲线线脚用水珠叶形纹样，凸圆线脚或小半圆凸线脚则用串珠饰。至于正曲线线脚，常较少修饰，月桂树叶或忍冬草纹适用于此。在柱式的另一些构件中装饰有很大的选择余地（图127）。

　　Entablature 柱上楣构。是由柱子支撑的各部分构件的集合。三个主要部分是上楣、中楣、下楣。这其中只有上楣与下楣被细分。

　　Entasis 卷杀。一个柱子的隆起部。所有的古典柱式柱础部分都比柱头部分宽。缩减经常开始于柱子升起的1／3处，此后采用曲线形式，曲线的处理有各种手法。

　　Eustyle 正柱式。见Intercolumniation柱距。

　　Fascia 橡头板。一个平直的水平带（箍）。是下楣的一种通用形式，即是由两条或三条橡头板构成，下面的比上面的略窄，并可能以一条窄线脚把它们分开（图124）。

　　Fillet 横饰线。在上楣或柱础上划分较大弯曲线脚的狭窄水平条带（图124）。

　　Fluting 柱槽。雕嵌在柱身的竖槽。从未在托斯卡纳柱式上发现

过，而其他柱式上可任意选择。有时下部的凹槽用实心圆柱体填入，称
为缆槽［cabled flutings］。

Frieze 中楣。柱上楣构三个基本成分居中的一个。实质上中楣呈
平滑水平带状。其上是精致地架在上面的上楣，其下是下楣（可能被分
成椽头板）。但是多立克中楣通常有三槽板，在爱奥尼亚、科林斯和混
合柱式上，中楣常喜用人像雕刻（图124）。

Guttae 锥状饰。多立克柱式中每一个三槽板及束带饰下部的下楣
上刻着的小圆锥饰。它们显然表示木钉。就像三槽板一样起源于多立克
的木构原形（图126）。

Hexastyle 六柱式。见Portico（柱式门廊）。

Impost 拱墩线脚。位于拱门起拱处的墩座线脚。

Intercolumniation 柱距。由柱径来决定的两柱间距离。各种类型
与比例由维特鲁威命名如下：Pycnostyle 密柱式，1.5D；Systyle 窄

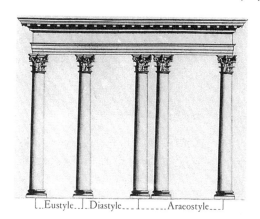

128. 柱距

柱式，2D；Eustyle 正柱式，2.25D；Diastyle 宽柱式，3D；
Araeostyle 离柱式，4D。在多立克柱式中也可发现其他柱距，空间必
须由中楣上三槽板间平面的节奏来控制。正柱式是最常用的柱距。

Ionic Order 爱奥尼亚柱式。该柱式源于小亚细亚，约在公元前6世纪中叶。不同于罗马式样的两个主要特点是：1.涡旋形柱头。2.上楣齿饰，维特鲁威对这个柱式作过详细的描述。

Metope 三陇板间饰，多立克柱式中楣上两块三陇板间的正方形空间。常为素面，但有时也饰有牛首饰、战利品或另一些装饰物（图126）。

Modilion 托饰。科林斯和混合柱式上楣的装饰，一个托饰可能是一个小的蝶形支柱，也可能是涡旋形的托架，同时上楣的几个托饰支撑花檐底板。它们留有间隔，以便让一个方形物嵌入每两个托饰之间的挑檐底面（图124）。

Module 模数。一个柱式各部分的相关尺寸，惯常根据模数而定。一个模数是柱础上面柱子的半径。这个模数被分成三十分。有时柱子直径本身就是模数，在这种情况下它有六十分。

Mutule 上楣底托石。正对多立克柱式每一个三陇板之上、花檐底板之下的方形石块（图126）。见Triglyph（三陇板）。

Octastyle 八柱式，见Portico（柱式门廊）。

Order 柱式。柱式是包括柱子和它所用柱上楣构等各个部分的集合。柱子的主要部分是柱础、柱身和柱头。柱上楣构的主要部分是上楣、中楣、下楣。柱子下的柱底座不是柱式的基本部分。但是从赛利奥开始的理论家们给柱式也加上了相应的柱底座。

Ovolo 1/4圆凸线脚。一种凸线脚，它的剖面是一个圆的1/4（图124）。

Palladian Motif 帕拉蒂奥母题。这是法国人对帕拉蒂奥在维琴察的巴西利卡所使用的特殊的拱门和柱子组合的称谓。一般这种组合的构成是中间开口为一个立于柱子上的拱门，而柱子的柱上楣就是狭窄的两侧开口上的楣石（见威尼斯式窗户[Venetian Window]）。在帕拉蒂奥

129. 帕拉蒂奥母题

的巴西利卡中，这三个开口是由较主要的柱式分隔而成，就是这整个结构，称为帕拉蒂奥母题。

Pedestal 柱底座。柱子下面的一个构件。见Order（柱式）。

Pediment 山花。指有山墙的神庙或其他古典建筑上由斜檐和水平檐口线构成的三角形空间。这个词似乎是由Periment变化来的。它见于16世纪英国文献中，也可能由法语Parement演变而来。山花并不总是表示屋顶的端部，倒是经常为装饰而使用，甚至尺寸巨大。而小尺寸的通常用于门窗上。山花有许多种类和变体。例如用一个曲线（弧形的），代替尖顶的山花。"断山花"[Broken pediment]，它的斜边在未达到尖顶前便折回了（图131）。

Peripteral 周柱式。见Temple（神庙）。

Peristyle 周柱式。围绕一个神庙或庭院的连续柱廊（图130）。

Pier 柱墩、墩座墙。位于门、窗或其他开口部分之间的坚实体块。柱墩总是一座建筑的承重结构的一部分，它们可能与壁柱、半柱、1/3柱等结合或者置于这些柱子之下，但也可能什么也不用。

Pilaster 壁柱。用浮雕的手法表现贴墙的柱子。壁柱有时被认为是

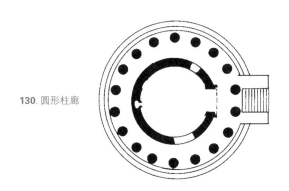

130. 圆形柱廊

一个造进墙里的正方形柱子的露出部分。壁柱必定是装饰性的。但它们也具有准结构作用，即加厚墙壁，正对圆柱，作为圆柱的"回声"，它们上部的柱上楣构在墙上延伸。

Pillar 支柱。一个通用词，在古典建筑语汇中没有特殊意义。

Plinth 柱基。在柱子或柱础下面的正方形块石。

Podium 墩座墙。一种通常是厚重的，呈平台状的结构，古典建筑建于其上。

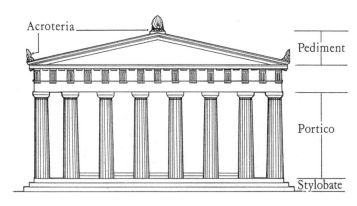

131. 八柱式门廊

Portico 柱式门廊。带顶的走廊。这个词常用于神庙或类似建筑入口前所用柱子的设计。这种有柱的门廊根据前部柱子的数量描述为四柱式[Tetrastyle]、六柱式[Hexastyle]、八柱式[Octastyle]、十柱式[Decastyle]、十二柱式[Dodecastyle]。在壁柱或壁端柱间仅两个柱子的手法，称双柱式[Distyle in Antis]

Prostyle 前柱式。见Temple（神庙）。（古希腊的前柱式前面有列柱，另三面由外墙围护。）

Pseudo dipteral 仿周柱式。见Temple神庙。

Pycnostyle 密柱式。见Intercolumniation柱距。

Quoins 外角。通常是建筑物的外角，特别当这些被粗面石工强调时。

Rustication 粗面石饰面、粗面石工。一种石工术，它在石块的接缝处通过凹陷加以强调，或者让石块保持粗糙，或者用这种方式制作以达到一个引人注目的未加修饰的效果。

Scotia 凹形半圆线脚。这种凹线脚多位于柱础的凸形半圆线脚之间。

Shaft 柱身。柱础和柱头之间的部分。

Soffit 挑檐底面、底面、下端。任何建筑构件的下端，例如花檐底板或下楣底部未搁在柱子上的部分。

Stylobate （古典列柱式建筑）的台基、阶座。有柱的门廊或柱廊之下的台基。

Systyle 窄柱式。见Intercolumniation（柱距）。

Taenia 束带饰。在多立克柱式里，中楣与下楣之间的狭窄突出带饰（图128）。

Temple 神庙。围绕神庙的柱子分布有如下命名。前柱式[Prostyle]：神庙前仅有一排柱廊（图133）；前后柱廊式[Amphiprostyle]：前后都带柱廊（图134）；周柱式［Peripteral］：所带有的有柱门廊与四边敞开的柱廊相联系（图135）；仿周柱式［Pseudoperipteral］：所带有的有柱门廊仅与浮雕式壁柱或柱子相连（图137）；双重周柱式［Dipteral］：有柱门廊与四周的双排柱廊相连（图136）；仿双重周柱式［Pseudodipteral］与双重周柱式空间处理一致，但内部的柱子省了一圈（图138）。

Tetrastyle 四柱式。见Portico（柱式门廊）。

Torus 凸形半圆线脚。用在柱础上的、剖面轮廓呈半圆的线脚（图125）。

Triglyph 三陇板。是多立克柱式中楣的一个构件。它中间为两个嵌入的竖直凹槽，两侧为两个半槽，整个与上部的上楣底托石和下部的圆锥饰有联系。这整个做法是木结构遗留下的特征在石工上的体现（图126）。

Tuscan Order 托斯卡纳柱式。这个柱式源于古代伊特拉斯坎神庙

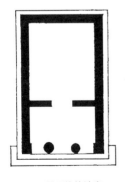

132. 用双柱的神庙

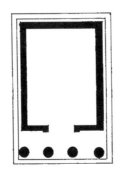

133. 前柱式神庙

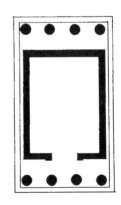

134. 前后柱廊式神庙

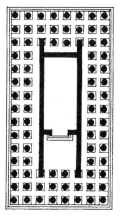

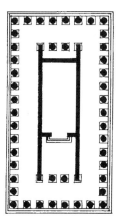

136. 双重周柱式神庙　　**138.** 仿双重周柱式神庙

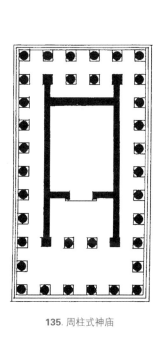

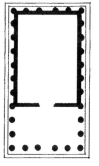

135. 周柱式神庙　　　　　**137.** 仿周柱式神庙

[Etruscan temple]，如维特鲁威所描述的，它具有柱间宽间距的原始特征，肯定与木过梁有关。16世纪的理论家们认为它是前多立克式，而且是五种柱式中最粗糙、最粗重结实的。

　　Venetian Window　威尼斯式窗户。有三个开口，但它的中央开口处由一个拱门所封闭，两侧开口上有楣石。这并不是威尼斯特有的，也被布拉曼特与拉斐尔使用，以后又被斯卡木兹和琼斯采用。英国到18世

139. 威尼斯式窗户

纪就普遍使用了。有个不同之处是外侧的一个浮雕拱门与内部的拱门同心，扩展到全部三个开口。伯灵顿勋爵吸收了帕拉蒂奥的图样，用在他的几个作品中。从他之后，英国建筑师一直沿用到19世纪（图139）。

Volute 卷涡饰。见Capital（柱头）。

Voussoir 楔形砌块、楔石、拱石。一个用石头或别的材料制成的块状物，是构成拱门的一系列构件之一。

Water-Leaf 水珠叶纹。见Enrichments装饰（图127）。

古典建筑文献简目

古典建筑即使在古代也总是要依据先例，因此也要依据文献资料。维特鲁威本人就宣称他得益于古代作家，而现代世界的古典主义在很大程度上有赖于维特鲁威。因此他的著作的各种版本都在任何古典建筑文献之上。维特鲁威之后，16世纪意大利文献是最伟大的成果；它们被另一些常常回头参看维特鲁威和意大利人的国家所遵循。下面的目录经过精选，只包括主要欧洲国家最著名、最有代表性的论著。

维特鲁威

在公元1世纪20年代，维特鲁威［Vitruvins］写了《论建筑》［*De Architectura*］（国内一般译为《建筑十书》——译者注），他是唯一的罗马建筑作家，他的著作幸存下来被一再传抄直到中世纪。现存最早的抄本保存在大英博物馆（Harl. 2767）；属于8世纪，可能在贾罗［Jarrow］抄写而成。在欧洲各图书馆还有十六种此后中世纪的各种抄本。第一个印刷本1486年出现在罗马，以后各种版本有乔孔多［Fra Giocondo］（佛罗伦萨，1522年）、费兰德［Philander］（罗马，1544年）版本。最重要的是由塞萨雷诺［Cesariano］（科莫，1521年）和巴尔巴诺［Daniele Barbano］（威尼斯，1522年）翻译的带有帕拉蒂奥插图的插图本。16世纪以后几乎出现了每一种欧洲语言的译本、释本和评注。较好的现代译本是洛布古典丛书［Loeb Classical Libary］中的格兰奇［Frank Granger］版本（海涅曼Heinemann，1931年；第二版，1944—1956年，2卷）。

意大利论著

阿尔贝蒂［Leon Battista Alberti］(1404—1472)的《建筑论》［*De Re Aedificatoria*］原是1452年献给教皇尼古拉斯五世［Nicholas Ⅴ］的，1485年首次在佛罗伦萨用拉丁文印刷。第一个意大利文译本于1546年在威尼斯出版，并且在1550年第一次有了图解本。紧接着1553年有马丁［Jean Martin］的法译本。英国的列奥尼［Giacomo Leoni］译本《建筑十书》［*Ten Books on Architecture*］出现于1726年。它的缩写本（带有引言和J.Rykwert的注释）出版于1955年。

阿尔贝蒂的论著虽然彻底地运用了维特鲁威的观点，但还是按照作者自己的哲学和他对罗马建筑的分析，说明了建筑的原则。它深刻地影响了其后全部意大利理论。

赛利奥［Sebastiano Serlio］（1475—1552）在他的有生之年出版了建筑书六卷，全部带有丰富的插图。1566年前五本合在一起作为独立的论著出版，不过并不按照他的写作顺序。这五本（带有最初出版日期）的内容是：1.几何（1545年）；2.透视（1545年）；3.古迹（1537年）；4.柱式（1540年）；5.教堂（1547年）。第六本叫《奇特之书》［*Libro Estraordinario*］，内容包括拱门和入口的设计，出版于1551年，再版于1566年。两本从赛利奥的图纸中整理编纂的遗著（7和8），在法兰克福［Frankfurt］出版于1575年，第一本也是唯一的英文本出版于1611年。

赛利奥的著作，不仅是一本教科书，而且是一个设计的宝库，它成为第一流的建筑权威，是此后16、17世纪全欧洲最有名的原典。赛利奥的五种柱式成为意大利以外各种手法的根源，直至被维尼奥拉和帕拉蒂奥所取代。

维尼奥拉［Giacomo Barozzi da Vignola］（1507—1573）的《建筑柱式的规范》［*Regola delli Cinque Ordini d' Architettura*］出版于1562年。书中有依据罗马范例并参考维特鲁威的材料制成的一套五种柱式的铜版图。维尼奥拉的论述比赛利奥更精炼、更有学者风度。其中只有引言和注释，没有原文，但是书中包括了不少维尼奥拉自己的设计。许多以后的版本，绝大多数是意大利文和法文本，最早的英文本出版于1669年。

帕拉蒂奥［Andrea Palladio］（1508—1580）的《建筑四书》［*I Quattro Libri dell' Architettura*］，1570年出版于威尼斯。四卷书分别涉及：1.柱式；2.府邸建筑（包括帕拉蒂奥自己设计的宫廷和别墅）；3.公共建筑（绝大多数是罗马的，也包括帕拉蒂奥在维琴察建的巴西利卡）；4.神庙（罗马）。帕拉蒂奥的柱式与维尼奥拉的一样优雅。他有关罗马古迹的图样是在赛利奥基础上的进一步发展——事实上，作为记录，直到1682年德戈德兹[Desgodetz]的著作出版时，它们才被取代。这本包括了帕拉蒂奥自己的设计的集子给他在全欧，尤其在英国带来了作为古典建筑最伟大的近代阐释者的声誉。英文本各有1663年、1715年、1736年和1738年的版本。

斯卡木兹[Vincenzo Scamozzi]（1552—1616）的《普通建筑的概念》[*Dell' Idea dell'Architettura Universale*]，1615年出版于威尼斯。这是一本巨作，很大程度上要归功于帕拉蒂奥，旨在倡导纯粹正宗的古典主义，但在精神上更多属于18世纪，而不是17世纪。

法国论著

勒姆[Philibert De L'orme]（约1510—1570），《建筑》[*Architecture*]，巴黎，1567年。这是一本很有创见的著作，把对罗马建筑精细严谨的研究与中世纪法国传统思想很好地结合起来。

弗瑞特[Rolond Fréart]（死于1676年），《古代建筑和现代建筑之比较》[*Parallèle de L' Architecture Antique et de la Moderne*]，巴黎，1650年。这是一个学者对全部已定性的柱式，包括古代柱式与近代柱式之详细批判。英文本是伊夫林[John Evelyn]1644年的版本。

佩罗[Claude Perrault]（1613—1688），《五种柱子的排列》[*Ordonnances des Cinq Espèces de Colonne*]，巴黎，1676年。这是根据佩罗自己的看法所作的对柱式批判性的专题论著。佩罗翻译的维特鲁威的著作（巴黎，1684年），有丰富的评注，列为第一流的重要文献。

科德穆瓦[G.L.De Cordemoy]（1651—1722），《建筑新论》[*Nouveau Traité de Toute l'Architecture*]，1706年。表面上绝大多数涉及柱式，实际上是革命的"反巴洛克"[anti-Baroque]体系，在设计中要求一种新的纯粹概念。

M.A.洛吉埃[M.A.Laugier]（1713—1769），《论建筑》[*Essai sur l' Architecture*]，巴黎，1753年。主要源自于科德穆瓦，洛吉埃将他的理性主义引向极端。

以上仅仅是一部分法文资料。18、19世纪很重要的是布隆代尔[François Blondel]（1679—1719）介绍的一个版本，他出版了他的大学讲义《建筑课程》[*Cours d'Architecture*]（巴黎，1675年）。另一些在讲座基础上写成，又有百科全书性质的论著是阿维勒[A.C.D'Aviler]（巴黎，1691年）和J.F.布隆代尔[Jacques François Blondel]）（巴黎，1771—1777）的书。杜兰[J.N.L.Durand]的《讲义》[*Leçons*]（巴黎，1801—1805年及其后）反映了洛吉埃建立的严肃的理性主义。

德国和佛莱芒论著

布鲁姆[Hans Blum]，《五种柱子的精确描绘和轮廓》[*Quinque Columnarum exacta descriptio atque delineatio*]（苏黎世，1550年）。在赛利奥的基础上对柱式进一步阐述。多次再版，第一个英文本出版于1608年。

弗里斯[Vredeman De Vries]（1527—1604），《建筑》[*Architectura*]，安特卫普，1577年，以后有许多版本。柱式基于赛利奥但更精致、更丰富。

迪特林[Wendel Dietterlin]（1550—1599），《建筑》[*Architectura*]，纽伦堡，1594—1598年，对柱式极度张扬。

英国论著

舒特[John Shute]（死于1563年），《建筑的第一和主要基础》[*The First and Chief Groundes of Architecture*]，伦敦，1563年（影印本由L.韦弗撰写导言，出版于1912年）。柱式追随赛利奥，具有各种变体。

吉布斯[James Gibbs]（1682—1754），《若干建筑构件的画法》[*Rules for Drawing the Several Parts of Architecture*]，伦敦，1732年。把它视作一本值得圈点的教科书比作为一本论著更合适。

韦尔[Isaac Ware]（死于1766年），《建筑的完整主体》[*The Complete Body of Architecture*]，伦敦，1756年。百科全书式的著作，帕拉蒂奥运动的代表。

钱伯斯[Sir William Chambers]（1723—1796），《论民用建筑》[*A*

Treatise on Civil Architecture]，伦敦，1759年。1791年以《论民用建筑的装饰部分》[*A Treatise on Decorative Part of Civil Architecture*]为书名重版，并且于1825年再版[Joseph Gwilt版本]。一本很精练的历史和批判性著作。

英文版现代历史著作

关于古代世界的建筑：

劳伦斯[A. W. Lawrence]，《希腊建筑》[*Greek Architecture*]，鹈鹕艺术史丛书[Pelican History of Art]。企鹅出版社[Penguin. Books]，1957年。

罗伯逊[D.S.Robertson]，《希腊罗马建筑手册》[*Handbook of Greek and Roman Architecture*]，剑桥大学出版社[Cambridge University Press]，1929年初版，1943年再版。

惠勒[R.E.M.Wheeler]，《罗马艺术和建筑》[*Roman Art and Architecture*]，泰哈公司[Thames and Hudson]，1964年。

伯丘斯[A. Boëthius]和沃德-珀金斯[J.B.Ward-Perkins]，《伊特拉斯坎和罗马建筑》[*Etruscan and Roman Architecture*]，鹈鹕艺术史丛书[Pelican History of Art]，企鹅出版社[Penguin Books]，1970年。

关于文艺复兴以来的建筑史

佩夫斯纳[N. Pevsner]，《欧洲建筑概要》[*An Outline of European Architecture*]，企鹅出版社[Penguin Books]，1963年，第七版。此书在后文艺复兴的章节中采用了令人钦佩的视角，同时书目提要中包括了这里未开列的国外著作。

海登赖希[L.H. Keydenreich]和洛茨[W.Lotz]，《意大利建筑，1400—1600》[*Architecture in Italy 1400—1600*]，鹈鹕艺术史丛书[Pelican History of Art]，企鹅出版社[Penguin Books]，1974年。

维特科夫[R. Wittkower]，《人文主义时代的建筑原理》[*Architectural Principles in the Age of Humanism*]，瓦尔堡学院[Warburg Inst.]，伦敦大学，1949年初版。1952年由蒂然提[Tiranti]公司再版。

维特科夫尔[R.Wittkower]，《意大利艺术和建筑，1600—1750》[*Art andArchitecture in Italy 1600—1750*]，鹈鹕艺术史丛书[Pelican History of Art]，企鹅出版社[Penguin Books]，1958年。

布伦特[A.Blunt]，《法国艺术和建筑，1500—1700》[*Art and Architecture in France, 1500—1700*]，鹈鹕艺术史丛书[Pelican History of Art]，企鹅出版社[Penguin Books]，1953年。

布雷厄姆[Alan Braham]，《法国启蒙运动时期建筑》[*Architecture of the French Enlightenment*]，泰哈公司[Thames and Hudson]，1980年。

萨莫森[J.Summerson]，《英国建筑，1530—1830》[*Architecture in Britain,1530—1830*]，鹈鹕艺术史丛书[Pelican History of Art]，企鹅出版社[Penguin Books]，1953年初版，1963年第四版。

考夫曼[E. Kaufmann]，《理性时代的建筑》[*Architecture in the Age of Reason*]，哈佛大学出版社，1955年；牛津大学出版社，1955年。

希契科克[H.R.Hitchcock]，《建筑：19世纪和20世纪》[*Architecture: 19th and 20th centuries*]，鹈鹕艺术史丛书[Pelican History of Art]，企鹅出版社[Penguin Books]，1958年。

约迪克[J. Joedicke]，《现代建筑史》[*A History of Modern Architecture*]，帕默斯翻译[trans.J C.Palmes]，建筑出版社[Architectural Press]，1959年。

原书第27页的引文引自赫西的《埃德温·勒琴斯爵士传》[*Christopher Hussey, The Life of Sir Edwin Lutyens*]（1950年），第133页。

插图来源

照片

Albertina, Vienna: 50; Alinari: 19, 32, 40, 55, 66, 78, 79, 87; Anderson: 20, 21, 41, 59,72, 73, 74, 77; Archives Photographiques: 15, 81, 111; B.T. Batsford: 98; Bazzecchi,Florence: 22; Osvaldo Böhm: 36; British Architectural Library, London: 27; British Architectural Library, Drawings Collection, London: 57; British Museum, London:82; Brogi: 13, 67; *Country Life*:47; Courtauld Institute of Art, London: 54; Charles Phelps Cushing: 26; Department of the Environment: 43; Fototeca Unione, Rome:24; Gabinetto Fotografico Nazionale, Rome: 18, 28; Ewing Galloway: 112;Giraudon: 8, 9, 23, 75; Greater London Council: 99; Hirmer Fotoarchiv: 88, 100; M.Hürlimann: 33; A. F. Kersting: 12, 14, 34, 38, 45, 63, 80, 85, 90, 95, 96, 101, 105,110,118; E. Kidder-Smith: 84; Lincoln Center:119; Roland Liot: 117; I. Mackenzie-Kerr:29; Mansell: 93; Bildarchiv Foto Marburg: 76, 89, 106; Mas: 52; Georgina Masson:42, 48, 60; Leonard von Matt: 58; National Monuments Record: 11, 69; Willy Rizzo:31; N. D. Roger-Viollet:114;Jean Roubier: 68; Oscar Savio: 37; Alistair Service: 64;Edwin Smith: 35, 49, 83, 86; Trustees of Sir John Soane's Museum, London: 108, 109,140; Dr Franz Stoedtner: 115, 116; Eileen Tweedy: 65, 103; Soprintendenza ai Monumenti, Venice: 39; University of Virginia, Charlottesville: 30; Virginia State Library: 10.

源于图书的复制品

Francesco Borromini, *Opera*, Rome 1720: 6; Richard Boyle, Earl of Burlington, *Baths of the Romans*, London 1730: 25; William Chambers, *A Treatise on Civil Architecture*, London 1759: 94; R. Chandler, *Ionian Antiquities*, published for the Dilettanti Society, London 1769:102.; A. Desgodetz, *Les Edifices Antiques de Rome*, Paris 1682: 16; Wendel Dietterlin, *Architecture*, Nuremberg 1598: 71; R. Fréart, *Parallèl de l'architecture*, Paris 1650: 7; M.A. Laugier, *Essai sur L'architecture*, Paris 1753: 91; Le Corbusier, *Le Modulor*, 1948: 106; C.N. Ledoux, *L'architecture considerée sous la rapport de l'art des moeurs et de la legislation*, Paris 1804: 107; Philibert de l'Orme, *Le premier tome de l'architecture*, Paris 1568: 5, 92; A. Palladio, *I Quattro Libri dell'Architettura*, (Venice 1570) 1601 edition: 44; A. Palladio, *I Quattro Libri dell'Architettura*, English edition 1738: 46; C. Perrault, *Ordonnances des Cinq Espèces de Colonne*, Paris 1683: 4; G.B. Piranesi,*Vedute di Roma*, Rome c. 1748:27; G. B. Piranesi, *Prima Parte di Architetture e Prospettive*, Rome 1743 : 97; A.E. Richardson,*Monumental Classic Architecture in Creat Britain and Ireland*, London 1914: 62; F. Ruggieri, *Studio d'Architettura Civile*, Florence 1722-28: 53; V. Scamozzi, *L'idea dell'Architettura Universale*, Venice 1615: 3; K.F. Schinkel, *Sammlung Architektonischer Entwürfe*, Berlin 1819-40:104; S. Serlio *Il Libro Primo (-Quinto) d'Architettura*,1554: I,51 ; G. Barozzi da Vignola, *Regola delli Cinque Ordini d'Architettura*, 1607: 2,17, 61; J. Vredeman de Vries, *Architectura*,1563: 70. ENGRAVINGS by: E. Dupérac, 56; A. Lafreri, 37; after J. Maurer, 82.

索　引

译后记

    由于工作关系，我在文物保护和考古工作的实践中对中国古建筑有较多的接触，所以对建筑史和文化史方面的研究自然也多几分关心。1987年春天，浙江美术学院的范景中先生向我推荐了英国著名建筑史家约翰·萨莫森的《建筑的古典语言》，细细读了之后，感觉很受启发。当时我就有一个念头，要把这部西方学术界颇有影响的著作翻译出来，介绍给国内广大读者。

    约翰·萨莫森曾是牛津大学和剑桥大学斯莱德艺术讲座教授，任教于许多大学和学院。从1945年起至1984年退休，他一直是约翰·索恩博物馆馆长。他还是英国皇家艺术学会和美国艺术和科学学会等十几个学会的会员，并做过部分学会的理事和主席。从1934年他第一部著作出版，至今已有数十种论著问世。由于学术上的出色成就，他荣膺英国皇家建筑金奖并被授予爵士称号。《建筑的古典语言》自1964年初版发行以来，先后被英文以外六种欧洲文字和日文翻译，受到学术界的普遍重视。1980年作者又对该书作了增补修订。

    萨莫森善于从文化的角度来谈建筑，这和时下国内论述和译介西方建筑史多偏重于史实介绍和工程技术结构分析的情况很不一样，因为建筑并不仅仅是科技史或艺术史的具体分支，它应当是整个文化史的有机组成部分。本书强调古典建筑有其特定的语言，这种语言由建筑物本身来体现，并且因时代而异。建筑师们就通过各种建筑要素来表现他们自己。作者以轻松的笔调，自如地驾驭着各种史料，引导读者渐入佳境：从古希腊、古罗马建筑语言的源起转到文艺复兴对古典建筑语言的重演和革新；经由巴洛克时代不同凡响的修饰到达严肃的新古典主义、维多利亚风与爱德华式博采众长的折衷主义；最后进入洗练的现代新古典主义。漫步在这些运用古典语言形成各自体系的时代里，读者是不难体会西方建筑的古典本质和精髓的。这种一以贯之的把建筑风格表现视为语言问题的思路，无疑将开拓我们了解和研究西方建筑史的视野，对认识中国古代建筑也不失为有益的借鉴。本书附有西方建筑史专有名词解释，对有关参考文献和典籍、版本有简明的评注，便于初学者入门。书中的插图既可与文字内容相关并连，又可以自成体系单独成册。插图也分了一些专题，概览了各时代建筑结构及风格的发展状貌，给人以重点突出、一目了然的直观印象。

中译本使用的是英国泰哈公司1980年的增补修订本。原书是在演讲稿基础上改写而成，口语的痕迹明显。译文力求保持原书风格，未作太多变动。为统一译名，译文所引的人名、地名和建筑名均参照中国大百科全书出版社出版的《简明大不列颠百科全书》中的译法。《简明大不列颠百科全书》中未见者，则参照《世界人名译名手册》和《世界地名译名手册》。建筑术语的译法还参照了高履泰主编，中国建筑工业出版社出版的《日英汉建筑工程词汇》的译法。

这次中译本能够推出，是和我的师长、同志和朋友们的支持和鼓励分不开的。翻译过程中，在建筑术语的使用及一些专业问题的处理上，得到我的教授沈康身先生的耐心指导，受益良多。洪鲲和钱炜两位老先生通阅了全部译稿，并和其他先生一起，对译文的准确性和行文的生动性提出了宝贵的意见，在此谨向他们表示衷心的感谢。

萨莫森先生亲自出面和英国泰哈公司商议，解决了中译本使用其版权的问题。我们谨向他和泰哈公司表示谢忱。

当译稿完成之时，我的心情忐忑不安。快要做母亲的我，将看到自己的孩子呱呱坠地；作为学术研究新手的我，同时将让自己的第一次翻译成果和众多的读者见面。但愿自己不成熟的工作会像新生儿一样日益成熟起来，并能够得到各方面朋友的批评和指教。

张欣玮　　1988年4月于浙江省文物考古研究所

重译本后记

今年3月浙江人民美术出版社编辑郭哲渊先生和我联系商讨再版中译本《建筑的古典语言》一书之事，让我回想起1988年4月完成初译稿的情形。那时刚做母亲，而现在女儿都已大学毕业工作六年了。二十八年中，世界发生了巨大的变化，我也在译稿1994年正式出版之前，留学美国，开始把眼光从中国的文物考古转向人类的内心世界。

从一叠写在方格子上的书稿到散发着纸墨香气的书籍，是一个质变，从靠着萨莫森爵士的这本著作在纸上了解西方古典建筑，到多年后自己站在书中展示的许多作品前一睹真容，自己也脱胎换骨。

常言说："读万卷书，行万里路。"为了实现小时候行路看世界的梦想，我从古埃及金字塔，开始重读一部可以触摸的世界文明史，经过古希腊—罗马文明、阿拉伯文明，到文艺复兴的意大利，然后是美洲新大陆的发现，印第安古代文明和欧洲的工业革命，等等。一次又一次站在那些人类文明留下的遗迹之前，我一次又一次地被震撼和感动，由衷感谢那些艺术家，尤其是建筑巨匠们。是他们把古代文明世界的精华全方位地展现在世人面前，让我们可以置身其中，在时间隧道里，驰骋想象，穿越古今。

很多年前，我由于工作关系，和中国木结构的古建筑接触比较多，木结构由于材料本身的限制，很少有存留长于千年的木建筑。即使后期存留下来的木建筑，也少有完全失去屋顶、墙面、门窗，只留木柱的情形。因为通常木柱可以被挪作他用，整个建筑也可能被翻修重建。即使在工作中注意到了斗拱、挑檐和柱基线角的使用，但是让自己印象深刻的，还是整个建筑的体量和空间的变化，以及它的装饰，从来没有对柱子的使用和它的魅力有这样一种切肤的体认。

几千年来欧洲各地的建筑林林总总，令人目不暇接，西方古典建筑这个庞大体系，跨越如此多的年代和地区，让外行人不知如何入手欣赏和理解。萨莫森爵士以柱式的变化和运用来断定风格，谈论建筑语言，给了众多建筑艺术爱好者，包括我自己，一把打开这个宝库的金钥匙。我对西方建筑，尤其是对柱式的认识完全是由该书启蒙的。二十多年来，书中提到的许多经典建筑我都有幸走访。萨莫森爵士的《建筑的古典语言》成了我的古典建筑导游书，有他在那里一一指点它们的妙处和精华以及历史的传存，而不仅仅只是走进一座座古教堂和宫殿，到此一游。是《建筑的古典语言》这本书引领我认识到，这些柱式经过建筑大师们几百年的努力，融入了整个建筑的灵魂之中，担起了古典建筑整个大厦。

还记得2008年春天在希腊科林多古城[Corinth]参观阿波罗神庙[Temple of Apollo]遗址的情形，那是我第一次去希腊。那个神庙建于公元前540年，原本是前后六柱，边长十五柱的一个长方形神庙。目前只剩七根不完整的多立克石柱。在古科林多古城被发掘前，整个古城只有这七根残缺的石柱留在地表。我是从地震后新建的科林多小城叫了一辆出租车由司机带去的。他说那里除了几根石柱子外什么也没有，很奇怪为什么我还想去。到了那里果然荒芜冷清，空无一人，铁将军把门；不过隔着栅栏，可以绕着遗址大致走一走。我远远地观望，柱子由一块巨石单体雕刻而成，大约七米高，粗壮挺拔，据测量数据介绍，柱底直径有一点七米长，柱身由通体雕刻的十几根等距的凹槽装饰，完全是以直线为主导，几乎没有任何曲线，整个线脚简单得不能再简单了。神庙虽已沦为废墟，碎石遍地，这几根毫不华丽却粗壮雄伟的灰白色石柱在无云的蓝天的衬托下，至今仍然可以让我想象当年神庙的庄严和古人对神灵的崇敬，有生第一次从多立克柱式那里感受到一种简单而直接的冲击力。几天后，我来到被联合国列为世界文化遗产的德尔福[Delphi]，在索罗斯[Tholos]遗址上我再次看到多立克柱子，惊奇地发现雄性的多立克柱子，通过柱子比例的调整，瘦身加高以及平面布局的变化，将长方形变成圆形，竟然也可以如此完美地展现柔美圆润的女性的一面来敬奉雅典娜。

计划中今年夏天的意大利徒步之旅，要重访佛罗伦萨，然后经过文艺复兴的腹地托斯卡纳地区一直走到罗马，圣彼得大教堂就是我此次徒步的终点。我会再次走访书中提到的不少里程碑式的建筑，让我觉得重新阅读并修改自己的译文是一个良好的时机。几周前我和一位加拿大同好经过二十二天，翻山越岭，穿街走巷，五百公里徒步，顺利走到了罗马之路的终点。一路上看到许多著名的大小建筑物：教堂、宫殿、城堡、桥梁、斗兽场、露天剧场和民居，今天闭上双眼，眼前第一个出现的却是环绕圣彼得大教堂广场的柱群。四层二百八十根高十五米左右的巨柱，分两翼环绕前部广场，由简单线脚的柱基向上直冲云霄，整个线条干净简练，融合一体，没有任何矫揉造作，完全以它们的体量、高度和形式感，压倒了周边一切浮华、混乱和嘈杂，和内外整个环境形成了鲜明的对比。在这里，贝尔尼尼[Giovanni Lorenzo Bernini]（1598—1680）以他自己独特的多立克柱式表现了人类对崇高精神的向往和追求。柱式在这里的力量远远超过了教堂内金碧辉煌的装饰和能工巧匠们所做的各种繁复线角的雕刻。它们给予我希望，再一次让我感到建筑的魅力和柱式特有的力量。

萨莫森教授讲座的初衷是普及文化知识，让更多的大众受益。由于他独到的视角、平易简练的叙述和精辟的见解，《建筑的古典语言》不仅被广大古典建筑爱好者喜爱，而且成为各大学建筑系学生的入门书。我希望这个中译本的读者也不只限于国内建筑专业的学者和学生，爱好历史文化和准备前往欧洲的游人在出行前阅读此书也会和我一样受益无穷。

长途步行需要勇气，不过面对自己早年的译作勇气更不可少。这里唯一可以告慰自己的是重译本又多了一个可以改正自己错误的机会。该书1964年英文原版以及1980年的重定增补版都将书中使用的图版以专题形式在每章的结尾统一编排，文中插图只在每页边缘的相应位置注出插图的序号。初译本完全遵照原著对此未加改动。图版以专题的形式出现，自成体系。然而参照阅读，来回翻阅多有不便。这次重译本试图在保留原著专题介绍的基础上，将图版直接插入文中，并尽量与文字吻合，不过个别地方有所跳跃也是在所难免。参考其余各类英文版本，还未见到有此类尝试。另外，本书索引也直接与重译本的页码相对应，而非参照原著的页码，便于读者检索。所有这些尝试都是本着方便读者使用的诚意。

这里要感谢建筑史学家赖德霖教授拨冗作序，从专业的角度，点明该书的学术价值，并对版面设计提出具体建议。也要感谢富有编辑和翻译经验的张书彬先生和钱艾琳博士在百忙之中审读重译稿提出宝贵意见。更要感谢本书编辑郭哲渊先生，这次在翻译出版过程中有幸结识，他对出版事业的热爱，精益求精的态度和出色的编辑能力给我留下了深刻的印象。最后要特别感谢我的先生洪再新和女儿张一，没有他们的理解和不断的支持，我的脚步不可能走得那么远、那么久。

2016年8月记于杭州栖霞岭